LE VRAI VISAGE

LE VRAI VIDOCQ

JEAN SAVANT

Le Vrai Vidocq

> *Un homme d'une audace d'esprit extraordinaire, d'une témérité de courage inouïe, d'une fertilité d'inspiration incroyable, d'une force et d'une adresse de corps prodigieuses.*
>
> L.-M. MOREAU-CHRISTOPHE

HACHETTE

A M. ABEL PENTEL
de l'Académie d'Histoire
et de l'Académie d'Arras
Hommage d'amitié et de gratitude
pour dix ans de concours inestimable
dans mes recherches sur Vidocq.
J. S.

PROLOGUE

Notre vie est un vaste océan
parsemé d'écueils. Nous de-
vons, à chaque instant, nous
attendre à faire naufrage.

VIDOCQ

LA « TERREUR » D'ARRAS

> A l'âge où les hommes de
> bonne éducation sortent à
> peine des humanités, il était
> le Lovelace de la jeunesse de
> son pays natal.
>
> CHARLES LEDRU

ÉCOUTÉE comme un oracle, car elle passe pour la meilleure tireuse de cartes d'Arras, la sage-femme dit très haut :

« Cet enfant fera du bruit dans le monde. Sa destinée sera orageuse et agitée. »

Elle vient d'aider à naître François Vidocq, deuxième garçon du boulanger de la rue du Miroir-de-Venise. Autour du lit de la mère, des parentes, des voisines se signent craintivement. Des éclairs illuminent la nuit. Le tonnerre gronde. La pluie tombe à torrents. Les femmes ont peur. La foudre s'abat enfin, dans un fracas épouvantable... Décidément, la sage-femme a raison !

Quelques années plus tard, il n'est plus qu'un nom dans tout le quartier Saint-Géry, paroisse des Vidocq, pour désigner le fils du boulanger : « Un vautrin. » (Un sanglier.)

Chaque soir, en effet, une demi-douzaine de gosses rentrent chez eux en pleurant. Ils murmurent qu'ils se vengeront. En attendant, l'un serre son mouchoir sur son nez sanglant, l'autre apparaît à ses parents avec des yeux pochés, le troisième boite, le quatrième songe à la raclée paternelle que lui vaudront ses habits déchirés, le cinquième crache deux ou trois dents... Furieux, ils racontent qu'ils se sont, une fois de plus, attaqués à « ce Vidocq », et que, comme d'habitude, il a été le plus fort...

« Mais vous savez bien que c'est un vautrin ! » répètent les parents, excédés.

Le jeune Vidocq annonce des formes athlétiques, une structure qui sera qualifiée de « colossale ». Mme Vidocq ne vit plus... Pour avoir la paix, le boulanger se résigne à faire de son deuxième fils un mitron. Au fournil, il le tiendra comme en laisse... Déjà l'aîné l'aide à pétrir et cuire le pain.

François Vidocq commence donc son apprentissage. Il a treize ans. A ses heures de liberté, toutefois, il n'est pas possible de cloîtrer un grand garçon qui passe sa vie devant un four. Or, ses moments de repos, le fils du boulanger les emploie à fréquenter les salles d'armes. Très vite, il manie supérieurement le fleuret, puis l'épée.

De la salle d'armes, il est entraîné au cabaret. Sa réputation d'escrimeur redoutable, la force de ses poings et de ses muscles attirent l'attention des filles galantes ou légères, et même de mainte femme de meilleure réputation. De là des intrigues, des rivalités, des jalousies, et que marquent des duels. Gâté par le beau sexe, craint par ses rivaux, Vidocq provoque au combat pour un oui ou un non, un regard de travers. Jamais il n'est battu. Mais il s'en repentira : « J'ai trop aimé les duels et les femmes ! » murmurera-t-il à son heure dernière.

Cette vie dévoyée ne peut plus être corrigée. L'autorité paternelle ne s'exerce plus, à l'extérieur. Le mal est fait.

Il s'accentue quand le précoce duelliste éprouve des besoins d'argent, afin de tenir son rang dans les tavernes. A l'exemple de son frère aîné, Ghislain, François se met à puiser dans le tiroir-caisse. Le déficit apparaît bientôt. La boulangère cache sa clef. « Qu'à cela ne tienne ! » dit un jeune voyou, qui s'est fait le flatteur du duelliste précoce. L'empreinte de la serrure est levée, et une fausse clef rapidement ajustée. A ces larcins (entrecoupés de corrections dont il ne se vante pas auprès des belles Artésiennes qui l'idolâtrent), Vidocq ajoute quelques prélèvements dans les placards et la basse-cour. Enfin, du même coup, il dérobe une dizaine de couverts en argent, cuillers à café comprises. Un usurier lui prête là-dessus sept ou huit louis. Et, tout de go, Vidocq traite royalement ses amis... La « noce » dure deux jours et deux nuits. Pas une heure de plus, faute de numéraire. Au reste, deux sergents de ville se présentent à point nommé, empoignent le mitron délinquant, et le conduisent aux « Baudets », maison d'arrêt qui héberge les vauriens du lieu et des environs. Dix jours de cachot doivent l'assagir, estiment les parents... Dix jours plus tard, ils pardonnent.

Bien entendu, son pardon obtenu, Vidocq réédite ses exploits. A présent, il rêve d'une grande fortune. Où la trouver ? En Amérique ! Voilà ce qu'on lui souffle au cabaret. Soit ! il ira en Amérique. Toutefois, avec quelles ressources ? Avec quoi paiera-t-il son passage ? Poyart, son flatteur, lui suggère de recourir subrepticement à la trésorerie familiale. Et Vidocq, intimement décidé à partager avec père et mère les sommes énormes qui l'attendent de l'autre côté de l'océan, se laisse convaincre.

Un soir, la boulangère est seule. Un camarade de Poyart se présente. Il annonce que François se livre à un scandale dans une maison mal famée, à l'extrémité de la ville. L'excellente femme tombe dans le piège et court pour limiter les dégâts... Pendant ce temps, Poyart et Vidocq s'introduisent dans la boutique. Poyart force la caisse, y récolte deux mille francs, procède au partage, et s'enfuit. Riche de mille francs, et non moins précipitamment, Vidocq prend la route de Lille, d'où il gagne Dunkerque.

Chemin faisant, il éprouve des regrets, songe à revenir sur ses pas, hésite... A Dunkerque, sa tristesse augmente. Pas de bateau en partance ! Il pousse jusqu'à Calais. Le capitaine d'un voilier accepte de le prendre à son bord, mais le capital, déjà ébréché, dont Vidocq dispose se révèle insuffisant. A Ostende, songe-t-il, il sera plus heureux. Il s'y dirige sur l'heure, mais pour y essuyer un nouvel échec.

Or, tandis qu'il traîne son désarroi sur un quai, maudissant le néfaste Poyart, il est abordé par un homme qui l'accable de politesses, s'intéresse à sa situation et promet de le tirer d'embarras. Naïf encore, Vidocq s'accroche à cet étranger comme à une bouée. Le soir même, l'autre lui offre à dîner. Pour que la soirée soit plus gaie, il a prié deux fort aimables dames, arrivées à l'instant de Blankenberg, de partager ce repas...

Au matin, en se réveillant, Vidocq se sent glacé. Le malheureux ! Il s'était endormi, auprès d'une des deux nymphes, dans un lit de plume, et il se demande s'il rêve. Autour de

lui, une forêt de mâts. Sous lui, un tas de cor-
dages. Il est à demi nu. Seul son pantalon lui
reste. Dans ses poches, deux misérables écus...
Plus de doute, il a été le jouet d'un escroc et
de deux garces, ses complices. L'aubergiste veut
bien se contenter des deux écus pour lui resti-
tuer ses hardes, mais les grands projets de fortune en Amérique s'anéantissent. Vidocq est
sans toit et sans pain.

De bateau en bateau, il va, s'offrant à servir
comme mousse. Finalement, un capitaine
l'agrée. Il signera tantôt... Mais l'instant
d'après, sur le port, il est « recruté » par un
patron de ménagerie foraine, à la recherche
d'un homme à tout faire. Adieu ! la marine,
Vidocq sera saltimbanque...
... Et d'approprier les girandoles, les lam-
pions, de nettoyer les cages, de balayer la
salle... Ses vêtements sont tachés de suif, déchirés par les singes, remplis de vermine. Il s'essaie au métier d'acrobate, puis passe « sauvage
de l'Océanie ». Nu, sous une peau de tigre, il
doit manger en public de la viande crue —
« de la chair humaine », annonce Paillasse — et
faire le simulacre de broyer des cailloux... La
lassitude, le dégoût s'emparent de lui. Son
patron le querelle. Il riposte par des coups. La
troupe fond sur lui. Il gagne le large.
Un montreur de marionnettes le recueille.
Or, cet homme, qui n'est ni beau ni jeune, a

une toute jeune femme, Elisa, qui ne tarde pas
à se jeter dans les bras de la « terreur » d'Arras.
Vidocq est déjà très séduisant, physiquement. Il
est grand, solide, taillé en Hercule, avec de
magnifiques cheveux blonds bouclés et un
regard irrésistible. Entre Elisa et lui, un
« grand amour » se cimente. Ils en sont assurés.
« Nous étions heureux ! » racontait-il, trente ans
après, mélancolique.

Hélas ! le maître surprend les deux amants
en flagrant délit. Il cogne, s'arme d'un tison-
nier, crève un œil à sa femme, et Vidocq doit
déguerpir.

Un charlatan, en route pour Lille, lui propose de l'assister. Il contribuera à la vente
d'élixirs incomparables... Vidocq accepte, sans
enthousiasme. A Lille, las de ce métier, il
fausse compagnie au bonimenteur. Son parti
est pris. De Lille, il gagnera Arras, se jettera
aux pieds de ses parents, implorera son pardon...

PREMIÈRE PARTIE

BAGNES, PRISONS ET AVENTURES

> Les événements ne sont jamais absolus. Leurs résultats dépendent entièrement des individus. Le malheur est un marchepied pour le génie.
>
> BALZAC

I

VIDOCQ SOLDAT

> Si, au lieu de me jeter folle-
> ment, comme un cheval fou-
> gueux, dans l'abîme, sans
> l'apercevoir, j'avais pris la
> place pour laquelle j'étais
> destiné par l'intelligence et
> l'énergie que le Ciel m'avait
> départies, je serais devenu
> aussi grand que Kléber,
> Murat et les autres... Tête
> et cœur, je les valais et j'au-
> rais fait comme eux !
>
> VIDOCQ

CE garçon de quinze ans, si prématurément
audacieux, capable d'entreprendre n'importe
quoi, n'importe quand et dans n'importe quel
lieu, n'est pas foncièrement mauvais. Il tremble, à mesure qu'il se rapproche d'Arras, à la
pensée de l'accueil que lui fera son père.
L'idéal serait de trouver maman Vidocq seule à

la boulangerie. Celle-ci se laissera fléchir. Ensuite, on avisera.

La Providence sert l'enfant prodigue. A la maison, sa mère est bien seule. Elle pleure en revoyant son fils... Donc, la partie est à moitié gagnée.

Aussitôt, tous deux se concertent. Comment obtenir la clémence de papa Vidocq ? La solution se présente à l'esprit de la boulangère : le médiateur sera l'aumônier du régiment d'Anjou, en garnison à Arras. Il fréquente la maison, et le boulanger professe respect et estime pour ce personnage aussi saint que savant, à ses yeux. L'aumônier ne se fait pas prier. En quelques mots, il explique au père que Dieu exige qu'il pardonne absolument et rouvre ses bras à son fils. Le soir même, on fête sans arrière-pensée le retour du précoce aventurier.

Le problème de son avenir n'est pas résolu pour autant. A Arras demeurent les mêmes sujets de tentation. Ils grandissent même. Toute la ville s'entretient de ses prouesses, de sa fugue... Pour une fraction de la population, Vidocq fait figure de héros. Les filles se le disputent. Deux jolies modistes de la rue des Trois-Visages se le partagent. Et lui-même les trompe avec une comédienne, qui l'a agacé par ses œillades. Mais la troupe ne se dispose-t-elle pas à partir pour Lille ? L'idylle ne peut pas s'achever aussi promptement. La « vedette », résolue à ne pas se séparer déjà de son jeune

amant, encore qu'elle soit mariée, lui conseille
de se déguiser en femme. Ainsi transformé,
Vidocq passe pour la sœur de la soubrette de
la comédienne. A trois semaines de là, ce
roman d'amour connaît son épilogue. Vidocq
est de retour à Arras. Rien d'anormal au logis.
Père et mère avaient approuvé ce voyage :
Vidocq avait prétexté le désir de revoir son
aîné, placé chez un confrère lillois.

Mais, dès son retour, il déclare à ses parents
son intention de s'engager. Il sera soldat au
régiment de Bourbon, cantonné dans la ville.
Le 8 mars 1791, il est immatriculé et placé
parmi les chasseurs.

Six mois après, on le surnomme « Sans-
Gêne ». Entre-temps, il a eu quinze duels au
sabre. Deux maîtres d'armes, qui l'ont provoqué, ont rendu l'âme. Plusieurs de ses adversaires soignent leurs blessures à l'hôpital.

Bon soldat, il est nommé caporal, au soir de
la bataille de Valmy (1792). Crac ! tandis qu'il
arrose ses galons, un sergent-major vient lui
chercher noise et l'insulte. Vidocq le provoque
en duel. L'autre, effrayé, se défile. Les quolibets
de la troupe pleuvent. Pour se venger, le
sous-officier rédige une fausse dénonciation.
Vidocq l'apprend, et tombe à bras raccourcis
sur le couard. Seulement, après avoir essuyé les
coups, devant témoins, le sous-officier réclame
contre le caporal Vidocq le maximum de la
peine, soit la mort.

Séance tenante, Vidocq déserte et va s'engager dans un autre régiment, le 11ᵉ chasseurs,
avec lequel il se bat courageusement à Jemma-
pes.

Là encore, il a des querelles avec des camarades et des sous-officiers, à propos de femmes.
Il s'ensuit des duels : une dizaine. Pour la première fois, il est grièvement blessé. Un mois
d'hôpital et six semaines de congé de convales-
cence.

Il passe ce congé à Arras, où son père
occupe une situation importante dans les
vivres. Rétabli, il s'engage dans la légion ger-
manique, car, au 11ᵉ chasseurs, on ne veut plus
de lui. L'escrimeur s'est fait renvoyer du corps
le 28 mai 1793.

La légion le garde peu de temps. Sa blessure
le contraignant à de nouveaux soins, il regagne
Arras.

Ici, une affaire amoureuse le conduit en prison pour avoir frappé son rival, un musicien
militaire. C'est le 9 janvier 1794, et la prison est
celle des Baudets. On y entasse les suspects qui,
du jour au lendemain, montent à l'échafaud.
La guillotine est pourvue par les soins du
conventionnel Joseph Lebon et de son acolyte
Chevalier. Or, Chevalier compte parmi les
antagonistes de Vidocq. Toutefois, ce pour-
voyeur de la guillotine a une sœur, « la plus
passionnée des brunes », laquelle ne pense pas
comme son frère. Elle brûle d'intéresser à son

tour le gars audacieux qui tourne la tête aux filles de la ville. Tant et si bien que les prières de Mme Vidocq, jointes à celles de la citoyenne Marie-Anne Chevalier, fléchissent Lebon et son « coadjuteur ». Vidocq sort de prison, le 21 janvier 1794.

Aussitôt, il reprend du service, s'engage dans un bataillon de volontaires, devient officier instructeur, est félicité par Vandamme, et sa campagne s'achève par un billet d'hôpital.

A l'été, il est à Arras, en congé. La citoyenne Chevalier est devenue sa maîtresse. Ambitieuse de se faire épouser, elle se déclare enceinte. Il ne reste qu'à précipiter le mariage.

Prudent et défiant, Vidocq hésite. Il n'est pas sûr de cette fille. Mais Chevalier est là. Le mariage ou la guillotine. Vidocq baisse la tête. Les bans sont publiés. Le vendredi 8 août 1794 (entre-temps, Robespierre est tombé), il épouse sa maîtresse.

Dès le lendemain, le premier drame de sa vie intime se noue. La fille Chevalier lui annonce qu'elle n'est nullement enceinte. La famille Vidocq a fait les frais d'un établissement commercial, où la jeune mariée se distingue par ses étourderies, ses longues absences, ses gaspillages. Vidocq échappe à cet enfer en retournant à l'armée.

Il eût été sage d'y rester longtemps. Sa destinée, pourtant, le ramène à Arras, à la faveur d'une mission, et, chez lui, une désagréable surprise l'attend : sa femme est couchée avec un militaire.

Le Don Juan s'enfuit en chemise. Vidocq le rattrape, l'empoigne vigoureusement, le contraint à revenir, à se rhabiller, et le provoque en duel pour le lendemain. Le brave capitaine, peu impatient de se mesurer au sabre avec le terrible bretteur, s'empresse d'aller porter plainte contre son « agresseur ». L'épouse adultère court chez son frère et lui demande de faire incarcérer son mari avant le petit jour.

Conclusion : Vidocq est appréhendé par une meute de sergents de ville et de gendarmes, au moment qu'il se disposait à gagner le terrain du combat.

Emprisonné une fois de plus, on le relâche assez rapidement, son bon droit ayant été reconnu. La mort dans l'âme, il cherche un refuge à l'armée. Il n'a que dix-neuf ans, et sa vie, si souvent hasardée, semble compromise à jamais. Devant lui, un abîme s'ouvre. Il va y glisser inconsciemment, la fatalité le poussant.

A Tournai, où il l'avait laissé, il ne retrouve pas son chef, un adjudant général, qu'on lui indique s'être transporté à Bruxelles. Arrivé là, il le cherche vainement, apprend qu'il doit être à Liège, s'y porte à son tour, et toujours sans succès. L'officier, lui dit-on à Liège, a gagné Paris, où il doit comparaître à la barre de la Convention.

Après quinze jours d'attente, Vidocq revient

sur Bruxelles. Il est à peu près sans le sou, et
aucune autorité militaire ne veut le prendre en
charge. Pourtant, voici des officiers complai-
sants, qui l'accueillent chaleureusement. Vidocq
ne sait pas, ne peut pas savoir qu'il se lie avec
des officiers de contrebande, ces inénarrables
personnages de l' « Armée roulante », des
escrocs... De toute façon, il est encadré.

En outre, il fait la conquête d'une jolie fille,
Emilie. La vie lui sourirait-elle un peu ? Non
pas !...

Au cours d'une rixe, il est appréhendé par la
police. « Tes papiers ? » Il n'en a pas, déclare-t-il. « Ton nom ? » Il donne celui de Rous-
seau, natif de Lille. Deux gendarmes sont dési-
gnés pour le conduire dans cette ville. Il
obtient qu'Emilie l'accompagnera. En route, à
chaque étape, il se montre généreux avec les
pandores, convaincus que leur prisonnier et sa
maîtresse sont des innocents qui ne cherchent
qu'à roucouler. La surveillance se relâche, et, à
l'occasion d'un bon dîner, terminé par un
effondrement des gendarmes, Vidocq et Emilie
s'enfuient.

De Lille, les amoureux gagnent Gand, où la
belle tombe sur son père, lequel l'invite à ren-
trer sans plus discuter à la maison. Quant à
Vidocq, il retombe entre les mains d'officiers de
l'Armée roulante. Un « général » le bombarde
capitaine de hussards (il était naguère sous-lieu-
tenant d'infanterie), et le dirige sur Bruxelles.

Bien des années plus tard, Vidocq se fera fort
de citer plusieurs personnages, devenus lieutenants généraux et grand-croix de la Légion
d'honneur, et issus précisément de cette
« Armée roulante » où ils avaient obtenu frauduleusement leurs premiers grades.

A Bruxelles, Vidocq reçoit un billet de logement qui le conduit chez la baronne d'I...,
veuve, fort riche et très attrayante. Personne ne
lui donnerait son âge. Dès qu'elle voit son gar-
nisaire, elle ressent comme un « coup de foudre ». Accablé de prévenances, Vidocq doit
prendre ses repas avec elle. Au terme de quatre
ou cinq jours, elle n'y tient plus. Elle ouvre
son cœur. C'est une déclaration en règle.
Vidocq proteste. Il est pauvre, dit-il. La
baronne rit. Elle est riche pour deux. Il la
regarde mieux. Certes, elle est vraiment sédui-
sante encore. Il succombe. Mais le jeu se prolonge. A quelque temps de là, la noble dame
se met en tête de se faire épouser par le bel
officier.

Un soir, dans la chambre où ils se retrouvent quotidiennement, il s'arme de courage et
lui avoue franchement, mais tristement, qui il
est, ses aventures, ses malheurs, son pitoyable
mariage... La baronne écoute, immobile, les
joues pâles, le regard fixe comme celui d'une
somnambule. Elle ne l'interrompt point.
Quand il a achevé, elle va s'enfermer dans sa
propre chambre, boucle une valise, donne des

ordres, et prend littéralement la fuite. Une heure après, de sa part, le maître d'hôtel vient remettre à Vidocq une cassette. Elle contient quinze mille francs en or !

Stupéfait, Vidocq se demande s'il rêve, puis, à son tour, vide les lieux. Où ira-t-il ? Il est perplexe, penche pour Amsterdam et se dirige sur Paris.

Il y mène grand train. Son trésor diminue. Malgré tout ce qu'il sait des « grecs », il perd mille francs dans un tripot. Une courtisane de haut parage, Rosine, achève de le ruiner.

Alors, il reprend le chemin de Lille, se lie avec des bohémiens, s'initie à leurs mœurs, à leurs industries, à leurs voleries. Pleinement renseigné, il les abandonne et se fixe dans la capitale du Nord, où les femmes occupent considérablement sa vie, en dehors du commerce des indiennes auquel il s'est très bien adapté.

Les deux principales de ces femmes se nomment Françoise et Catherine. L'une d'elles (pour le malheur de son amant) est l'objet de beaucoup de sollicitations. Certain jour, Vidocq surprend un capitaine du génie en train de lui conter fleurette. Ni une ni deux, les coups pleuvent sur le capitaine, qui regagne sa demeure bien abîmé.

Seulement, le lendemain, il porte plainte, et Vidocq est immédiatement incarcéré. Parce qu'il n'a pas consenti à abandonner sa maîtresse à cet officier, il fera trois mois de prison.

II

PRISONS ET ÉVASIONS

> Quand mes yeux s'ouvrirent enfin avec la raison, je n'ai vu autour de moi que la prison, le cachot, le bagne.
>
> VIDOCQ

VIDOCQ a vingt ans, quand il est jeté, dans cette prison de la tour Saint-Pierre, à Lille, au milieu des plus fieffés mauvais garçons.

Il y entre pour avoir « corrigé » un rival. Il n'en sortira que pour aller au bagne.

Entre-temps...

Entre-temps, c'est un feu d'artifice d'aventures, d'évasions, de misères, d'espoirs et d'exploits.

*

Parce qu'il n'est pas un grand coupable, et que, juridiquement, on serait bien empêché de justifier sa présence dans cette prison, il est

bientôt l'objet d'attentions inattendues. Par
exemple, il bénéficie d'une espèce de chambre
particulière.

Tous ses malheurs vont découler de cet
« adoucissement » de peine.

D'abord, il n'y voit que l'avantage de recevoir librement sa maîtresse, dévouée et sou-
cieuse de le distraire pendant ces trois mois
d'inaction et d'ennui injustement imposés. Mais
ses camarades ont d'autres vues. La chambre de
Vidocq pourrait servir de bureau clandestin.
Quelques condamnés s'intéressent au sort d'un
pauvre laboureur, Sébastien Boitel, incarcéré,
jugé et condamné à la réclusion pour avoir
dérobé quelques boisseaux de grains destinés à
nourrir ses petits, pendant la Terreur et la
disette... Il convient de sauver cet homme,
c'est-à-dire de lui rendre sa liberté.

Certes, on peut tenter de le faire évader
purement et simplement, mais le malheureux
sera repris. Il faut donc qu'il sorte de prison
régulièrement, avec des papiers en règle. Aussi
quelques prisonniers imaginent-ils de fabriquer
un ordre de mise en liberté. Et Boitel, et le
gardien, et le concierge, et les écritures de la
prison seront couverts.

Vidocq ne peut pas refuser son concours.
Toute sa vie, il se proclamera innocent. Il dira
qu'il s'est borné à prêter sa chambre aux
« faussaires ». Il parlera ainsi par politique,
sachant pertinemment qu'il ne faut jamais

avouer... Dans la réalité, en abandonnant sa
retraite paisible aux rédacteurs de l'ordre de
mise en liberté, Vidocq sait ce qu'il fait. Il ira
jusqu'à procurer un cachet en cuivre, sceau
d'une unité militaire à laquelle il semble avoir
appartenu, et dont l'apposition sur l' « ordre »
impressionnera favorablement les autorités de
la prison. Ainsi, Vidocq se rend complice...
d'une bonne action. Les magistrats diront, eux,
complice d'un faux en écritures publiques...

Vidocq agit sans réfléchir, uniquement mû
par le désir de sauver le malheureux laboureur. Il ignore que les instigateurs de cette
affaire, deux ex-militaires, Grouard et Herbaux,
ont été condamnés déjà pour faux. A son insu,
et très imprudemment, il se place en bonne
compagnie... Les autres complices ne valent pas
plus cher. Mais Vidocq ne calcule pas. D'ailleurs, ce n'est pas en prison qu'on choisit ses
amis.

Un comparse, en ville, confie l'ordre à un
autre complice, qui se présente à la prison cos-
tumé en militaire, et remet le « document »
au concierge, avec toutes les formes requises.
Quelques instants après, Boitel est avisé
qu'il est libre. Il dit adieu à ses camarades et
s'en va...

Peu de jours s'écoulent. La prison est inspec-
tée, et le faux découvert. Boitel est arrêté chez
lui et ramené à la tour Saint-Pierre. Durant
l'interrogatoire, il se trouble, déclare qu'il sait

bien que l'ordre était un faux, et il désigne les auteurs et complices de ce faux. Parmi ceux-ci, Vidocq.

Vidocq est donc interrogé. Il mesure alors les conséquences probables de sa folle « bonne action ». Il était à dix jours de sa libération. Le voici écroué, à présent, sous la prévention de complicité de faux !

*

L'idée du châtiment qui peut l'atteindre, la rudesse et la gravité des magistrats, leur langage technique, tout contribue à inspirer la peur à ce garçon hardi jusqu'à la témérité. Il ne pense plus qu'à s'enfuir. C'est encore une faute. Mais, précisément, c'est d'une succession de fautes et de dures épreuves que s'est forgée la personnalité de Vidocq. Il ne figurerait pas dans l'histoire sans cela.

(Balzac le comprendra. « Mais quels sont donc les malheurs qui vous ont plongé dans l'abîme ? » demandera le duc de Montsorel à Vautrin. Et celui-ci répondra : « Est-ce qu'on explique le malheur ? »)

L'une de ses amoureuses lui apporte, pièce par pièce, un uniforme semblable à celui de l'officier supérieur chargé d'inspecter les prisons. Quand tout est au complet, Vidocq attend le jour de l'inspection, et profite d'un moment favorable. L'officier est retenu par un entretien. Vidocq se présente à la porte, le gui-chetier ouvre, Vidocq est libre.

Il reste à Lille, et s'y cache... vingt-quatre heures. Après quoi, ce régime lui pèse. Il décide de sortir, de se promener en ville.

Pendant une de ses promenades, un homme de police le reconnaît et l'empoigne. Vidocq le supplie de ne pas le reconduire séance tenante à la tour Saint-Pierre. Il voudrait, auparavant, dire au revoir à sa maîtresse, l'embrasser... L'agent se laisse émouvoir. Vidocq est bientôt avec lui chez sa belle, qui glisse dans la poche du prisonnier une poignée de cendres... On se sépare. Les deux hommes prennent le chemin de la prison. Et vlan ! arrivé dans une rue déserte, Vidocq met la main à sa poche, jette la cendre aux yeux de son gardien, et s'enfuit.

Dès lors, la police est à ses trousses. Le soin de l'arrêter est confié au commissaire Jacquard, qu'assiste un peloton d'agents. Par bonheur, Jacquard n'a encore jamais vu le visage de Vidocq. Il se présente, un soir, dans une maison où Vidocq doit dîner avec deux femmes. Suivi de quatre de ses agents il déclare qu'il vient arrêter Vidocq. Celui-ci ne se démonte pas. Il répond à Jacquard que ce fameux Vidocq ne va pas tarder à les rejoindre. Puis il le pousse vers un cabinet.

« Quand il entrera, je vous ferai signe. Res-tez dans ce cabinet avec vos hommes, afin qu'il ne se doute de rien et qu'il entre jusqu'ici. »

Sur ces mots, il ferme la porte, donne un
double tour de clef, et crie à Jacquard :

« Vous cherchez Vidocq ? C'est lui qui vous
met en cage. Au revoir ! »

Il est très fier de pareils tours. S'il pouvait
supposer qu'ils rendent sa condamnation beaucoup plus sûre et beaucoup plus sévère !...

On l'arrête chez une « citoyenne Françoise »,
rue de la Picquerie, et il est écroué à la prison
du Petit-Hôtel.

Dix jours plus tard, il s'évade. Onze jours
après, il est repris.

Et cela continue, d'évasion en capture et de
capture en évasion. Un jour, avec huit autres
prisonniers, il réussit à creuser une tranchée
pour s'évader. Une autre fois, conduit à l'instruction avec divers délinquants, il avise un
manteau et un chapeau laissés sur un des bancs
du prétoire par un gendarme. Il s'en affuble,
prend un détenu par le bras, marche avec
autorité et se fait ouvrir la porte. Ou encore,
déguisé en municipal, il fausse compagnie à ses
gardiens. Il connaît le cachot, les fers. Et quels
fers ! Le poignet droit attaché à la cheville
gauche, le poignet gauche attaché à la cheville
droite. Mais il scie les chaînes ou les rompt,
avec de l'acide nitrique, et il s'enfuit des
cachots. On le reprend, et il va, de prison en
prison, auréolé d'un prestige inouï sur tous les
gars qui peuplent les maisons de détention du

nord de la France. Le revers de la médaille,
c'est que son prestige devient fâcheuse réputation dans l'esprit des juges. Il passe pour un
homme dangereux, même pour un homme
dont il faut débarrasser la société. En outre,
durant ses évasions, ses camarades jaloux, Her-
baut en particulier, le chargent, tâchent à faire
peser sur lui l'entière responsabilité du faux
relatif à Boitel.

Le 27 décembre 1796, Vidocq est enfin jugé. Il
est là, inconscient, devant les juges du tribunal
criminel de Douai. Delattre préside. Ranson,
dont la morgue est réputée « insoutenable », est
l'accusateur public. Le greffier a nom Lepoivre.
    Le président demande aux jurés si le faux
mentionné dans l'acte d'accusation est constant,
si Vidocq est convaincu de l'avoir commis
« méchamment et à dessein de nuire » ?
    Oui, répondent les jurés, auxquels, probable-
ment, on a fait dire oui, et Vidocq s'entend
condamner à huit ans de fers. Huit ans de
bagne, huit ans de travaux forcés, après avoir
subi le supplice de l'exposition et du carcan...
Tout cela pour avoir facilité la sortie de prison
d'un pauvre bougre de laboureur !
    (En ce temps-là, un commissaire de police,
celui du premier arrondissement de Lille, Fran-
çois-Joseph Deberckem, prévenu d'abus de pouvoir et de concussion, était, pour tout châtiment, suspendu de ses fonctions...)

III

LE BAGNE

> Les hommes sont hommes
> avant d'être justes.
>
> VIDOCQ

Il s'écoule encore quelques mois avant que Vidocq ne soit, dans une chaîne de condamnés, dirigé sur Paris et la prison de Bicêtre, antichambre des bagnes.

En route, pendant la traversée de la forêt de Compiègne, les futurs bagnards se révoltent. Les soldats de l'escorte en tuent deux, en blessent grièvement cinq autres. Vidocq est épargné. Il arrive entier et bien portant à Bicêtre.

L'un de ses compagnons, « cheval de retour » (ancien bagnard, ramené ou derechef condamné au bagne), le présente comme un des « sujets » les plus « distingués » du nord de la France. La grosseur des fers de Vidocq confirme cette déclaration. Sa réputation de « roi de l'évasion » l'a précédé, d'ailleurs. Si bien qu'il est

illico fêté, choyé, admiré par la haute pègre.
Les seigneurs du vol et du crime ne le quittent plus. A son corps défendant, il a une
cour. Et quelle cour ! Il poursuit ainsi, sans y
prendre garde, un précieux apprentissage : celui
du monde criminel, de ses mœurs, de ses astuces, de ses lois, etc. Il passe maître dans l'art de
la savate. Au reste, à l'époque, il possède déjà
cette force « colossale » qui ne cessera d'ébahir
ses contemporains.

Mais ce qu'il voit à Bicêtre augmente son
effroi, quand il pense à ce qu'il en sera au
bagne. Il rumine donc l'idée d'une évasion,
qu'il estime possible en passant par le fort
Mahon et la cour des Fous. Ses compagnons
l'approuvent, dès qu'il expose son plan. Tous
se mettent à l'ouvrage. En dix journées, une
percée est pratiquée. Le onzième jour, à deux
heures du matin, trente-quatre condamnés se
fraient un chemin vers la cour des Fous. Parve-
nus dans cet endroit, ils constatent qu'ils ne
franchiront jamais la muraille, faute d'échelle.
Surprise ! l'un d'eux découvre une perche, et
l'opération va commencer, quand un aboie-
ment se fait entendre, puis d'autres. Leur tentative d'évasion a été signalée, et des molosses
sont lâchés sur eux. Il faut se rendre.

Enfin, après sept mois d'attente, l'heure
sonne des derniers préparatifs. Vidocq descend
dans la « cour des fers », y dépouille ses vêtements et revêt l'uniforme du bagne. Le

« coiffeur » lui rase complètement la tête.
Ensuite, les fers.

Quand toute la « chaîne » a été ferrée, un
« ancien » entonne la *Complainte des galériens.*

> La chaîne,
> C'est la grêle.
> Mais c'est égal,
> Ça n'fait pas d'mal

....

> Notr' guignon eût été pire,
> Si comm' de jolis cadets,
> On nous eût fait raccourcir
> A l'abbaye d'Monte-à-regret,

c'est-à-dire guillotiner.

On règle aussi les comptes, avant le départ.
Ceux que leurs compagnons accusent d'avoir
« trahi » sont assommés à coups de chaîne. Une
heure durant, c'est un concert de cris, de
jurements, de sanglots. Des larmes coulent,
amères.

Vidocq est prêt. Dans des pièces de deux
sous (les condamnés peuvent avoir six francs
sur eux), pièces creusées au tour, il a caché
quelques louis. Dans un pain vidé de sa mie, il
a dissimulé un pantalon. Un argousin examine
ses fers, et le fait monter dans une charrette.
En route !

A Pontchartrain, Vidocq est déshabillé entiè-

rement et visité dans toutes les parties du
corps, pour s'assurer qu'il ne dissimule aucun
instrument propre à rompre ses fers (par
exemple, des scies minuscules, constituées de
ressorts de montre, et qui se cachent aisément
dans l'anus). Puis, par Dreux, Alençon, Rennes
et Morlaix, en vingt-deux journées, la chaîne
atteint Brest.

Chemin faisant, le forçat est abreuvé d'inju-
res et meurtri de coups. En revanche, et afin
d'inspirer à son endroit la répulsion des foules,
le même forçat est laissé libre de violer les
femmes et de piller les magasins. (Les bénéficiaires des vols sont les gardiens, auxquels
les forçats vendent à vil prix le butin.) L'administration est ainsi assurée qu'en cas d'évasion
le bagnard sera dénoncé par la population
terrorisée. Par conséquent, qu'il ne trouvera jamais d'emploi, et que le vagabondage forcé
le replacera, innocent ou coupable, entre les
mains de la police.

Au terme du voyage, les condamnés n'en-
trent pas directement au bagne. On les parque,
pendant une quarantaine de jours, à Pontaneuzen. Des médecins les examinent. Ils sont lavés,
deux par deux, dans de grandes cuves. Au pied
leur est rivée la fameuse « manicle ». Puis,
repos. Cette quarantaine a pour objet d'empêcher la contagion des maladies dont les uns et
les autres peuvent véhiculer les germes.

La première pensée de Vidocq, en arrivant à

Pontaneuzen, est naturellement de tenter son
évasion. A l'aide d'un ciseau oublié dans une
salle par un sbire, il se met à percer un mur.
Un camarade scie ses fers avec une de ces scies
de fortune échappée à la fouille en cours de
route... Maintenant, Vidocq pénètre dans une
cour. Comme à Bicêtre, une perche doit tenir
lieu d'échelle pour franchir la muraille. Arrivé
au sommet, il saute. En tombant, il étouffe un
cri : il s'est foulé les deux pieds. Tant bien que
mal, il rampe jusqu'à un buisson et y passe la
nuit. Au jour, la douleur empire. Il faut renoncer à la fuite.

Une sœur — une des deux religieuses qui
furent secourables à Vidocq et dont Hugo fera
la sœur Simplice, protectrice de Jean Valjean
— lui vient en aide, sollicite sa grâce et le soi-
gne à l'infirmerie du dépôt. Une vingtaine de
jours après cette tentative, guéri, Vidocq est
conduit au bagne de Brest.

« Je n'y resterai pas huit jours ! » s'écrie-t-il.

Au bagne, les forçats sont accouplés. Ainsi,
pour s'évader, la première condition consiste à
s'assurer de la discrétion et de la bonne volonté
de son camarade de « couple ». Celui de Vidocq
est un vigneron des environs de Dijon, condamné à 24 ans pour récidive de vol avec
effraction : une espèce d'idiot, que la misère et
les mauvais traitements ont achevé d'abrutir.
Pour s'en débarrasser, Vidocq feint une indis-

position. Le Bourguignon est détaché et accouplé avec un autre forçat pour aller à la « fatigue » — aux travaux de force. Le lendemain, rétabli, Vidocq a un autre camarade de couple : un pauvre diable condamné à huit ans de fers pour avoir volé des poules dans un presbytère.

Celui-là perce aussitôt les intentions de Vidocq.

« Ecoute, camarade, lui dit-il, tu ne m'as pas l'air de vouloir manger longtemps du pain de la nation... Sois franc avec moi. Tu n'y perdras rien. »

Vidocq déclare qu'il est déterminé à s'évader, à la première occasion.

« Eh bien, si j'ai un conseil à te donner, c'est de valser avant que ces rhinocéros d'argousins ne connaissent ta coloquinte (ta figure)... As-tu des philippes (des écus) ? »

Oui, Vidocq en a. Moyennant, donc, quelques « philippes », son camarade de couple lui promet des vêtements de matelot, qu'un condamné à la double chaîne a réussi à se procurer et à « planquer ».

Le plan a germé dans la tête de Vidocq le sixième jour de sa présence au bagne. Le lendemain, il est en possession du costume, qu'il revêt sur l'heure sous sa casaque et son pantalon de forçat. Le surlendemain, au matin, il se rend à la « fatigue » comme à l'ordinaire.

Au guichet de la salle, visite habituelle des

manicles et des vêtements. Vidocq a eu soin de
laisser sa chemise et sa casaque ouvertes. Une
vessie, grossièrement barbouillée, cache, sous
cette échancrure, le haut de l'uniforme maritime. Nul gardien ne songe à l'examiner davantage. Il passe...

Arrivé au bassin où sa section travaille alors,
il feint un besoin. Pour le satisfaire, il passe
avec son camarade derrière un tas de planches.
La veille, il a coupé sa « manicle ». Aussi la
soudure qui cache les traits de scie cède-t-elle
au premier effort. Délivré de ses fers, il se
dépouille précipitamment. En l'air, la casaque
et le pantalon, et la chemise de forçat !... Une
poignée de main et quelques « philippes » au
compagnon, et Vidocq disparaît en se glissant
derrière des piles de madriers.

A présent, il s'agit de sortir de Brest. La
seule issue praticable est défendue par un
vieux garde-chiourme, le père Lachique. Terrible bonhomme, qui devine un forçat, sous
quelque forme qu'il se présente. Vidocq est
renseigné sur son compte. Il cherche un objet
qui lui donne contenance et éloigne les soupçons, avise une cruche, la ramasse, sort son
brûle-gueule de sa poche, le bourre, et se porte
droit sur le père Lachique, qui, lui aussi, fume
constamment la pipe, en observant minutieusement les individus allant et venant.

Vidocq pose sa cruche, montre son brûle-gueule, et demande poliment du feu à l'argus de Brest. En bon fumeur de pipe, Lachique s'empresse de satisfaire le galérien travesti en matelot. Autrement dit, il s'occupe de sa pipe, de la manière dont le tabac s'allume, et il ne considère pas du tout le fumeur... qui s'empresse de remercier et de passer la porte.

IV

ENTRE DEUX BAGNES

> Les galères font le galérien.
> Recueillez cela si vous vou-
> lez.
>
> VICTOR HUGO

UNE heure après, le canon tonne. C'est le signal de son évasion... Vidocq n'a pas cessé de marcher. Il presse le pas, évite les chemins fréquentés. Quand tombe la nuit, il s'arrête dans un village et entre dans un cabaret, où son sang-froid le sauve, comme son cran l'a éloigné du bagne. Car, dans ce cabaret, il tombe sur le maire et le garde champêtre de l'endroit. D'un ton assuré, il se donne pour un matelot en permission, revenant de Morlaix à Brest. Il explique qu'il s'est égaré en prenant des chemins de traverse, et il demande à quelle distance il se trouve de Brest.

« Tu en es à plus de cinq lieues, mon gars, et tu ne peux pas, raisonnablement, continuer

ta route », dit le cabaretier, qui lui offre de passer la nuit dans sa maison. Il y sera en compagnie du garde champêtre, lequel doit justement se rendre à Brest, pour y reconduire un
galérien en rupture de ban, arrêté le matin
même.

Vidocq réprime une grimace, accepte pour la
forme, et conçoit un plan à exécuter sur
l'heure. Au premier moment qu'il se voit seul
avec le garde, il s'exclame et gémit. Le garde
s'inquiète. « J'ai laissé mon portefeuille à Morlaix ! » Et, sur un ton à fendre l'âme : « Dans ce
portefeuille, j'ai mes papiers et... huit dou-
ble-louis ! » Nouveaux gémissements, puis : « Il
n'y a pas... je dois retourner à Morlaix ! » Son
désespoir émeut le garde. Vidocq continue :
« Mais comment retrouver mon chemin ? » Et il
promet une récompense au bonhomme, s'il
consent à l'accompagner. Ainsi alléché, l'autre
consent, et tous deux s'en vont, dans la nuit...
Vidocq est ainsi assuré de faire route sans danger, protégé même. Chemin faisant, il invite
son compagnon à vider quelques bouteilles
dans les estaminets rencontrés. Aux portes de
Morlaix, le garde est à peu près ivre. « Je vais
chercher mon portefeuille », lui dit Vidocq, qui
emprunte sans perdre une minute la route de
Vannes.

Trois jours durant, il marche sans obstacles.
Soudain, à un croisement, il est interpellé par
deux gendarmes, et couché en joue parce qu'il

veut filer. Il se rend donc et raconte une histoire.

« Je suis Auguste Duval, originaire de Lorient, déserteur de la *Cocarde*, une frégate ancrée dans la rade de Saint-Malo... »

Il a entendu des bruits, à Brest, dans les conversations des forçats, sur le déserteur Duval, depuis longtemps recherché.

Les gendarmes l'emmènent à Lorient où il est écroué à la prison maritime, dite « le Pontaniou », par analogie avec la prison de Brest. Le lendemain, le commissaire des classes l'interroge. Il persiste dans ses déclarations et ajoute qu'il a déserté pour revoir ses parents.

Un jeune matelot, témoin de l'interrogatoire, lui confie qu'il a connu Duval, mort depuis deux ans à Saint-Pierre de la Martinique (ce que tout le monde ignore). Vidocq peut continuer son jeu. Certes, les autorités le confronteront avec la famille Duval. Mais le marin en question ayant quitté à jamais le toit paternel très jeune, les parents s'attacheront uniquement à un signe distinctif, un tatouage au bras gauche, représentant une couronne posée sur un autel.

Les deux complices s'arrangent pour être punis et jetés ensemble dans un cachot, où le matelot procède au tatouage. La cicatrisation coïncide avec la confrontation. Dans l'intervalle, Vidocq a appris tout ce qu'il doit savoir sur sa pseudo-famille. Aussi, tout se passe-t-il le mieux du monde. Le père Duval n'hésite pas à reconnaître son fils, qu'il embrasse en pleurant, et auquel il donne quelques louis. En conséquence, persuadée qu'il s'agit bien d'Auguste Duval, l'administration dirige Vidocq sur Saint-Malo.

A Quimper, halte forcée, pour attendre la « correspondance », c'est-à-dire le groupe de gendarmes qui assurera l'escorte de Quimper à Saint-Malo. Vidocq veut profiter de cette quinzaine de jours d'attente. De l'hôpital, estime-t-il, il s'évadera plus sûrement. Il se donne donc une bonne fièvre en avalant du jus de tabac, et est hospitalisé pour trois jours. Il prolonge ce séjour en se faisant enfler la tête, par un procédé qu'on lui a enseigné à Bicêtre. Ayant ainsi plus de temps devant lui, il médite sur les moyens qu'il emploiera pour s'enfuir.

Or, à l'hôpital, il a remarqué, entre autres, une religieuse aussi belle que bien bâtie. Les prisonniers s'en déclarent tous amoureux. Vidocq estime que sœur Françoise (deuxième élément du prototype de la sœur Simplice des *Misérables*) aura la charité de concourir à son évasion...

L'une des nuits suivantes, entièrement équipé comme sœur Françoise, Vidocq franchit le mur de l'hôpital.

Au point du jour, Vidocq a parcouru deux lieues, mais sans aucune orientation. Un paysan lui apprend qu'il suit la route de Brest. Grands dieux ! la route de Brest, c'est la route du bagne !... Vidocq demande au Breton de lui indiquer la route de Rennes, et il s'empresse de la gagner par un chemin de traverse.

Autre inconvénient : la présence des troupes. Dans cette région est cantonnée l'armée dite d'Angleterre. Habillé en religieuse, Vidocq court le risque d'une tentative de viol, chose fréquente. Aux précautions que cette situation exige, il faut ajouter celles que commande une tenue ecclésiastique et ne pas ignorer les églises et le reste.

« Ma chère sœur, lui dit quelque part un curé, je vais célébrer la messe. Dès qu'elle sera dite, vous déjeunerez avec nous. »

Le forçat évadé se tire du mauvais pas en observant l'attitude de la vieille bonne du curé, et en imitant tous ses gestes... Un peu plus tard, on passe à table. Quoique affamé, Vidocq se domine et mange comme il sied à une religieuse. Enfin, le curé lui indique, pour atteindre Rennes, des chemins où sa vertu ne sera pas exposée.

A la nuit, il heurte à la porte d'une chaumière. Autour d'un poêle, où cuisent des crêpes, deux paysans et leurs trois enfants. Vidocq est saisi. « Des figures à la Rembrandt, éclairées par les seules lueurs du foyer, quel tableau ! » racontera-t-il.

Invité à s'asseoir, il prend place entre Jeanne
et Madelon, seize et dix-sept ans, se bourre de
crêpes, et s'entend dire que, faute de place, il
devra partager la couche des deux jeunes filles.
Il ne bronche pas, se retire avec Jeanne et
Madelon, les laisse se déshabiller, se coucher,
puis, comme par mégarde, éteint sa lampe, se
dévêt à son tour, et s'allonge auprès de Jeanne.
« Nuit cruelle ! » soupirera-t-il. Il a garde de ne
pas fermer l'œil. Au petit jour, les filles se
lèvent pour préparer la soupe. Sœur Vidocq se
lève à son tour, s'habille, rejoint ses hôtes, partage la soupe, remercie, prend congé et se
remet en route.

Mal orienté, il se retrouve, à la brune, dans
un village proche de Vannes, y passe la nuit,
et, le lendemain, accoste une marchande de
chapelets, qui se dirige sur Nantes. Il la suit. A
Nantes existe un refuge tenu par « la mère des
voleurs ». (Il a appris cela à Bicêtre et au
bagne.) Il s'y rend et y troque ses vêtements
religieux contre un pantalon et une blouse de
paysan, procède à quelques achats, et, riche encore de dix-huit francs, parcourt une longue étape
(un jour et deux nuits) qui l'amène à Cholet.

Dans l'auberge où il s'arrête, au cours de la
nuit, il passe aisément pour un paysan attiré
par le marché du lendemain. Marché providen-
tiel ! Dans l'esprit fertile de Vidocq germe une
combinaison. La région est dangereuse, l'Ouest

n'est pas encore pacifié, et il importe de sortir de là sans tomber prisonnier des Blancs ou des Bleus. Sur le marché, à l'aube, il aborde un marchand de bœufs, le tâte, s'assure qu'il est bien « Blanc », et lui raconte qu'il a déserté le camp des « Bleus ». Il veut rejoindre ses parents, domiciliés à Paris. Un emploi lui permettrait d'accomplir le trajet sans danger. N'a-t-il pas besoin d'un toucheur de bœufs, d'un conducteur de troupeau ? La carrure et l'aplomb de Vidocq séduisent le marchand, qui doit justement diriger un troupeau sur Sceaux. Affaire conclue. Vidocq est engagé comme toucheur.

Le voyage s'opère à la grande satisfaction du patron, qui donne à son nouveau garçon une gratification, le cite en exemple, l'engage à l'année avec participation aux bénéfices, etc.

Vidocq se considère comme sauvé. Excellent, le commerce des bœufs ! Et particulièrement en temps de guerre ! Au reste, nul ne s'avisera de venir le rechercher parmi les toucheurs...

Or, un soir, tandis qu'il traverse la rue Dauphine pour regagner la barrière d'Enfer, et, de là, Sceaux, une main s'abat lourdement sur l'une de ses épaules. Troublé, il veut s'enfuir. Mais la poigne qui le retient est solide. Il se dispose à lutter, quand, s'étant retourné, il reconnaît un des tristes héros de l'Armée roulante...

Une évidence s'impose à lui. Désormais, il ne

sera pas seulement menacé par les gendarmes et la police. Pour le reconnaître et le dénoncer, il y a les aventuriers, les criminels dont il a accidentellement partagé la vie. Il se hâte donc de quitter son bon patron, et, tenaillé par le désir de revoir ses parents, il prend la diligence pour Arras.

Une de ses tantes lui offre un asile, et avise discrètement son père et sa mère. Etreintes, pleurs de joie, et aussi d'amertume. Cette existence maudite ! Et l'inconduite de la bru ! Recueillie chez les boulangers, après avoir précipité la ruine du fonds de commerce de son mari, elle s'est signalée par ses débordements. Il a fallu la chasser. En ce moment, elle est enceinte.

Le conseil de famille discute. Où cacher le forçat en rupture de ban ? L'idée vient de le placer auprès d'un ami, un carme, le père Lambert, qui continue de célébrer la messe dans une grange, et qui fait l'école aux garçons et aux filles du lieu. Vidocq, quelque peu en froid avec l'orthographe, mais bon calligraphe, l'assistera.

Malheureusement, quelques-unes de ses élèves s'intéressent à lui. Elles parlent. Les gars du voisinage s'alarment. Une nuit, tandis qu'il s'apprête à donner une leçon particulière à une grande écolière de seize ans, quatre garçons surgissent, l'enlèvent, le conduisent dans une houblonnière, le mettent tout nu et le fustigent

jusqu'au sang avec des verges d'orties et de
chardons.

Près d'une mare, il ramasse une vieille natte,
s'en couvre le corps, et, brûlant de fièvre, court
jusqu'à Marœul, où habite un de ses oncles.
Accueilli par des rires, il est frotté de crème
mêlée d'huile. Mais, ce nouveau scandale lui
interdisant de rester plus longtemps dans le
pays, il décide de se réfugier en Hollande.
Il y est victime des recruteurs, qui peuplent
brutalement les bateaux. A peu de chose près,
le bagne ! Il réussit à passer d'un bord à un
autre, se distingue, reçoit des galons... Hélas ! il
est suspecté et doit s'enfuir... Il se fait alors
corsaire, et semble devoir réussir dans cette carrière, quand, après six mois de cette activité,
un jour que son bateau mouille à Ostende, il
voit monter à bord un commissaire et des gendarmes. Examen du rôle et des papiers de
l'équipage. Vidocq n'en a point. On l'arrête. Il
déclare se nommer Duval. Or, l'évasion de
Duval a été signalée dans tous les ports. Ordre
est donné de le transférer à Lille, et, de Lille, à
Douai.
A Douai, quoique connu de tous les gens de
police et des prisons, il nie être Vidocq. Pour
le confondre, un magistrat décide secrètement
une confrontation avec sa mère, qu'on va qué-
rir à Arras...
A son apparition, Vidocq laisse échapper un

cri de surprise. Il se reprend, néanmoins, devine
un piège, et traite sa mère comme une étran-
gère. Sur un signe de son fils, maman Vidocq
feint aussi de ne pas reconnaître son cher François. Et, cependant, que de choses la mère et le
fils ont à se dire. Ses vêtements, à elle, en
témoignent. Elle porte le deuil de son mari,
décédé depuis peu...

La citoyenne veuve Vidocq ayant déclaré
que le détenu offre bien quelque ressemblance
avec son fils, mais qu'il ne l'est point, Vidocq
est soumis à la torture. Il avoue enfin. Au sur-
plus, de Lorient, on réclamait Duval pour le
juger comme déserteur. Duval, c'était la peine
de mort. Vidocq, c'était le retour au bagne. Il
n'y avait donc pas à hésiter. Aussitôt après son
aveu, on le transféra à Bicêtre.

V

ENCORE LE BAGNE

> Comme beaucoup d'hommes supérieurs, Vidocq était fataliste. A ses propres yeux, il n'avait été que le jouet des événements. Il avait subi sa destinée.
>
> A. Chenu

Ecroué le 22 juin 1799, Vidocq quitte Bicêtre, avec la chaîne du bagne de Toulon, le 3 août. (Après l'odieux cérémonial qu'il connaît bien.)

Dès son arrivée à Toulon, le 29 août, il est conduit à bord du *Hasard*, un vaisseau qui sert de bagne flottant. En sa qualité de « cheval de retour », il a les honneurs de la double chaîne et de la salle n° 3, destinée aux forçats les plus redoutables et soumis, en conséquence, à un traitement spécial. Ces hommes (qu'on s'abstient de mener à la « fatigue », de crainte qu'ils ne s'évadent encore) sont couchés sur une planche, attachés, privés de la possibilité de se laver, bientôt couverts de poux, et battus plusieurs fois par jour par les argousins.

Auprès de Vidocq sont liés des hommes comme Vidal, meurtrier, naguère bourreau du bagne. (Les galériens condamnés à mort sont exécutés par un de leurs semblables.) Del Campo, dit Deschamps, est l'un des voleurs du garde-meuble national. (Une affaire sensationnelle.) Mulot appartenait à la bande de Cornu, son père, terreur de la Normandie. (Cornu employait, dans ses expéditions criminelles, sa femme, ses trois fils, ses deux filles. Quand on le captura, il dénonça sa femme, pour qu'elle fût guillotinée en même temps que lui.)

Pour échapper à cette géhenne, Vidocq commence par solliciter l'autorisation de fabriquer des jouets. C'est au moins une occupation. Assez vite, les gardiens le voient d'un meilleur œil. Il en profite, se plaint de grandes douleurs aux jambes, et on le dirige sur l'hôpital. Là, toutefois, la surveillance est sévère. Vidocq s'emploie donc à inspirer confiance. A son endroit, les mesures de sécurité se relâchent un peu. Sans plus attendre, il se procure une paire de bottes, une perruque et des favoris.

Voici son plan. La perruque et les favoris sont de la même couleur que les cheveux du chirurgien en chef. Quand celui-ci entre, il jette par habitude son chapeau, sa redingote,

ses gants et sa canne sur le lit de Vidocq. Reste
à saisir une occasion : Vidocq, déjà botté, passera sa perruque, la redingote du chirurgien, et
s'enfuira avec sa canne, ses gants et son chapeau...

Et l'occasion se présente. Certain jour, le chirurgien est accaparé par un malade qu'il doit
opérer. Les infirmiers pareillement. En une
minute, Vidocq se travestit, sort de la salle, traverse une légion de sous-argousins sans être
reconnu, et parvient à la porte de l'arsenal. Il
va la franchir quand des cris se font entendre :

« Arrêtez ! arrêtez ce forçat qui s'évade !... »

Vidocq ne se déconcerte pas. Aux soldats du
poste qui ont pris les armes, il crie à son tour :

« Eh ! ne voyez-vous pas que c'est un
échappé de l'hôpital ! »

Il désigne une personne qui vient de sortir,
et il ajoute :

« Le voilà ! le voilà ! courez donc avec
moi !... »

La ruse réussit. Les soldats s'élancent, et
Vidocq va franchir la grille à son tour, lorsqu'il se sent immobilisé par la poigne d'un
infirmier. Le chapeau vole, la perruque est
arrachée... Quelques instants après, Vidocq est
chassé de l'hôpital, ramené au bagne et remis à
la double chaîne.

La bastonnade l'attend. Même pour un orga-
nisme fort, la bastonnade peut entraîner la
mort, provoquer au moins des affections pul-

monaires. Vidocq se jette aux pieds du commissaire du bagne, implore sa clémence, offre d'accomplir trois années supplémentaires de travaux forcés en échange. Le commissaire se
laisse attendrir.

Les semaines, les mois se succèdent. Vidocq
calcule. Encore six années de ce supplice à
endurer ! Pensée accablante... Il se secoue. Son
esprit enfante un nouveau stratagème.

Au même commissaire, lors d'une inspection,
il se donne pour le frère d'un homme injustement condamné comme faussaire à Douai. Ce
frère s'est évadé du bagne de Brest, et vit paisiblement à Londres. Lui, Vidocq, ici présent, a
la disgrâce de ressembler parfaitement à son
frère. Et cette fatale ressemblance l'a fait arrêter, conduire à Bicêtre, acheminer vers le
bagne... Il faudra bien, quelque jour, réparer
cette erreur judiciaire. En attendant, n'est-il pas
indigne de laisser un innocent à la double
chaîne ?

« Faites de moi ce qu'il vous plaira, s'écrie-
t-il, mettez-moi au fond d'un cachot, mais, au
nom du Ciel, ne m'obligez pas à vivre plus longtemps avec ces voleurs, ces assassins... »

Ce langage peut lui valoir d'être assommé, le
soir même, par ses compagnons. Le commissaire, qui n'en doute pas (mais Vidocq a pris
ses précautions à leur égard), ordonne de le
détacher et de le mettre à la « fatigue ».

LE VRAI VIDOCQ 59

Et maintenant, Vidocq ne désempare pas. Il est bien décidé à fausser compagnie à ses nouveaux compagnons à la première rencontre. Il s'attelle aux préparatifs. Tel forçat, qui entretient des intelligences avec l'extérieur, lui procure un costume de matelot. Le lendemain, tout est au point. Le boulon rivé de sa manicle se trouve être remplacé par un boulon à vis. Le troisième jour, il se rend à la « fatigue ». Arrivé à la corderie, il manifeste l'envie de satisfaire un besoin pressant. Son compagnon lui indique quelques pièces de bois, derrière lesquelles il est possible de se placer. Aussitôt, Vidocq dévisse son boulon, abandonne ses fers et sa casaque de forçat, apparaît en matelot, et s'éloigne rapidement dans la direction du bassin.

Une frégate y est accostée. Vidocq monte à bord, se mêle à l'équipage, attend qu'un canot s'en détache pour se rendre en ville, se précipite dans l'embarcation... Le tour est joué.

Encore faut-il sortir de la ville ! Le canon tonne pour signaler son évasion. Sur son chemin, une fille de joie, providentielle, l'héberge un moment, lui promet une carte de sûreté qui lui permettra de franchir sans encombre l'une des portes de Toulon, et déclare qu'elle va se la procurer sans plus attendre. Elle va pour sortir. Vidocq ne cache pas sa défiance.

« Eh bien, eh bien, n'as-tu pas peur ? lui dit
la fille. Si tu te méfies, viens avec moi plutôt... »

Il la suit. Dehors, à peine ont-ils fait trois
pas que passe un convoi funèbre.

« Suis l'enterrement ! dit-elle précipitamment.
Tu es sauvé ! C'est le plus sûr moyen de
te tirer d'affaire ! »

Le convoi franchit l'enceinte pour atteindre
le cimetière. Vidocq, lancé dans une conversation absorbante avec un vieux marin, ami du
défunt, passe comme le cortège, sans encombre.
Tout est dans l'ordre. Au cimetière, subrepticement, il s'éloigne...

... Et, jusqu'à cinq heures du soir, il marche
sans repos.

C'est le 6 mars 1800.

VI

LE SUPPLICE DE LA VIE

> Napoléon a surnommé l'in-
> fortune la sage-femme du
> génie.
>
> BALZAC

A LA recherche de la route d'Aix, Vidocq choit
dans une bande d'agresseurs de diligences, etc.,
des « chevaliers du Soleil », une « compagnie de
Jésus ». Il veut leur fausser compagnie. Le chef
refuse. Un incident se produit : un « chevalier »
a été volé pendant son sommeil. Les soupçons
se portent sur Vidocq. On le fouille, sans résul-
tat, mais une pièce de son linge porte la marque des galères. Indignation générale au camp
de ces héros. Et le chef, Roman, prononce :

« Tu vas être fusillé.

— Obtiens-moi un sursis, dit Vidocq au
« chevalier » volé, qu'il entraîne à l'écart. Je vais
te retrouver ta bourse ! »

Vidocq adresse un signe à Roman : « Seul à

seul, un moment ! » Quand il achève, Roman
prend autant de pailles qu'il existe d'individus
dans sa bande. Toutes ces pailles sont de
dimension identique. Il groupe les « chevaliers » autour de lui, et dit, montrant Vidocq :

« Attention ! cet homme n'est point coupable. Le sort va désigner le coupable. Celui qui
a volé la bourse aura la plus longue des pailles
que je tiens. Approchez et tirez-en chacun
une ! »

Quand chacun a tiré, Roman se fait remettre
les pailles et les aligne devant lui. Et ce qu'a
annoncé Vidocq se produit. Le voleur présente
à Roman une paille plus courte que toutes les
autres. On le fouille. L'argent volé est retrouvé.
Dans la crainte d'être découvert, le coupable
avait raccourci sa paille.

« Tu es libre ! » dit alors Roman à Vidocq.
Le forçat évadé prend la route de Lyon.

A Lyon, il est reconnu par des citoyens qu'il
a rencontrés dans différentes prisons. Son premier mouvement est de s'éloigner d'eux.
Hélas ! ceux-là ne le lâchent pas ainsi. Ils exigent qu'il participe à leurs mauvais coups. Il
refuse. Une femme, éprise de lui, l'héberge. Les
autres le dénoncent. Vidocq est arrêté au logis
de cette femme et conduit à la prison de
Roanne, en attendant de réintégrer le bagne de
Toulon...

*

En lui, s'ancre cette opinion qu'il ne sera
plus jamais libre de vivre en honnête homme,
tant que ses anciens compagnons se placeront
sur son chemin. A jamais il se trouvera être en
butte à leurs provocations, à leur vengeance.
Non seulement la société se ferme pour lui,
mais la canaille le cerne. Plus tard, il mûrira
mieux sa pensée. Plus tard ! Car l'avènement
du « Napoléon » de la Police n'est pas pour
demain !... Pour l'instant, il écrit à Dubois,
commissaire général de la police à Lyon, qui
lui accorde un entretien particulier. Et à
Dubois, Vidocq propose de faire capturer les
assassins et les voleurs qui sévissent à Lyon et
alentours, à condition d'obtenir pour lui la
faculté de quitter librement la ville.

Dubois, qui a entendu tant et tant de déclarations de cette sorte, n'y attache pas grand
intérêt. Vidocq insiste :

« Vous resterait-il quelques doutes sur ma
bonne foi, lui dit-il, si, après m'être évadé pendant le trajet que je vais faire de chez vous à
la prison, je revenais ici me constituer prisonnier ?

— Non, assurément.

— En ce cas, soyez tranquille. Vous me
reverrez bientôt. »

Dubois sonne. Il ordonne que deux gendarmes reconduisent le prisonnier dans son cachot. Le groupe part... Un quart d'heure plus tard, Vidocq se présente chez Dubois. En route, il a terrassé ses gardiens. Dubois s'incline.

Lyon et la région sont bientôt purgés. Le flair de Vidocq s'exerce aussi dans la découverte des auteurs d'un crime retentissant : l'assassinat de Catherine Morel. Il réussit. Les deux assassins sont capturés. Pour toute récompense, il obtient un sauf-conduit, qui lui permet de gagner Paris.

Beaucoup d'épreuves en route, et, de Paris, il se rend à Arras, descend chez une tante, toujours la même, qui court alerter maman Vidocq. Celle-ci supplie son fils de rester à Arras. Il accepte. Dans la maison de sa mère, il pratique une cachette de dix pieds de long sur six de large, et se tient coi quelque temps. Puis le démon des plaisirs le saisit. Il sort, fréquente les bals, est reconnu par des filles, dont certaines estiment avoir à se plaindre de lui, de ses infidélités. Elles bavardent. Des sergents de ville l'arrêtent : il leur échappe.

Après cette aventure, il juge prudent de quitter Arras. Sous le nom de Blondel (celui d'un de ses amis, qui lui procure un passe-port), il prend la direction de Paris, muni d'une pacotille de dentelles.

A Paris, il devient commis chez une marchande de nouveautés, qui s'éprend de lui. Lui,

la juge repoussante. Il s'intéresse davantage aux
demoiselles de son atelier. La dame est jalouse.
Une scène éclate. Vidocq doit abandonner son
état.

*

Il retourne à Arras, se réinstalle dans sa
cachette, recommence ses exploits en ville, et la
police le poursuit. Une nuit d'hiver, sur le
point d'être capturé, il se jette dans la rivière.
Les autres renoncent à le suivre. Le lendemain,
il entame une nouvelle aventure.

Arras abrite quatre mille prisonniers autri-
chiens. Il s'abouche avec l'un d'eux et lui propose d'échanger leurs vêtements. Sous l'uniforme de *kaiserlick*, Vidocq commence par
séduire une jeune et jolie mercière, déjà veuve,
dont il devient le commis. Ils sont heureux.
Mais les gendarmes se présentent. Habilement,
Vidocq leur échappe. La mercière fait ses
paquets. Ensemble, ils s'installent à Rouen.

Tout va bien, et Mme Vidocq également a
quitté Arras pour vivre avec son fils. Les affaires sont prospères. La signature de Blondel est
considérée comme l'une des meilleures de la
place. Hélas ! les femmes sont à la fois bienfaisantes et néfastes à Vidocq. Au retour d'une
tournée, il retrouve bien sa maîtresse, dans son
lit, mais non pas seule. Pas d'histoire : sépara-

tion immédiate et définitive. Vidocq quitte
Rouen ulcéré. Tout est à recommencer.

Avec sa mère, il se transporte à Paris, et
séjourne trois mois rue de la Monnaie, nº 14. Il
s'installe ensuite à Versailles, rue de la Pompe,
nº 38. Mme Vidocq tient le magasin. Lui, en
marchand forain, « court les foires ». Une fois
de plus, tout va bien. Il le croit. Pourtant, il a
des ennemis. Un Artésien, camarade d'enfance
avec lequel il s'est brouillé à propos d'une
femme, le dénonce à la police. Les gendarmes
viennent l'arrêter.

De prison en prison, il est ramené à Douai.
Il y aura bientôt dix ans qu'il a été condamné,
et le magistrat qui l'interroge, le procureur
général Ranson, est le même Ranson qui l'a
envoyé au bagne. Ranson veut réparer, à présent. Il engage Vidocq à former une demande
en grâce ou en commutation de peine.

Un matin, Vidocq est appelé au greffe. Il
s'imagine qu'il s'agit de la réponse du ministre.
C'est sa femme, la fille Chevalier, venue avec
son plus récent amant et un huissier lui
signifier le jugement de leur divorce. Quelle
joie !

Mais ce n'est pas la liberté, et, las d'attendre,
et d'attendre en prison, Vidocq prend le parti
de s'enfuir encore. Gardiens, huissier, concierge
se sont adoucis à son égard, et le plaignent.
Quelquefois, il dîne avec le concierge et l'huis-

sier. Le cas échéant, il use de leurs latrines, dont la fenêtre, dépourvue de barreaux, donne sur la Scarpe. Et un soir, le 28 novembre 1805, il plonge... A la nage, il atteint l'une des extrémités de Douai.

Chasse à l'homme. Vidocq, qui a organisé sa fuite, a fait déposer, à Duisans, un uniforme. Il s'en revêt et continue sa route. De nouveau, il est à Paris. Sa mère le rejoint aussitôt.

*

Un autre chapitre de la vie de Vidocq s'ouvre ici. A Paris, il rencontre une femme qui va décider du succès de sa carrière. Ils deviennent passionnément amoureux l'un de l'autre. Mme de B... (il lui donne le prénom d'Annette) est pratiquement libre. Elle lui voue sa vie. Lui, reprend son activité de marchand forain, et fréquente les foires jusqu'en Bourgogne. Les affaires prospèrent. Puis, une fois de plus, tout craque ! Vidocq a été reconnu en province. Il faut renoncer. Il estime alors que le meilleur refuge pour lui est la capitale.

Un fonds de marchand tailleur est à vendre, dans la cour Saint-Martin. Vidocq l'achète, et s'en félicite. Il fait aussi le commerce des draps. Cette fois, il tient la fortune.

Patatras ! un jour qu'il s'affaire dans son magasin, un commissionnaire entre et lui

annonce qu'il est attendu chez un traiteur de
la rue Aumaire. Pensant qu'il s'agit d'une
question commerciale, il s'y rend sur-le-champ.
Stupéfaction ! Deux hommes l'attendent. Deux
évadés. Ils sont décidés à le faire chanter. Ils
demandent de l'argent, beaucoup d'argent. Il
en donne un peu, promet d'en donner encore...

Les deux criminels ne vont plus le lâcher.
Demandes d'argent, menaces se succèdent. Puis
ils lui apportent le produit de leurs vols, exigent qu'il le prenne et leur en donne la con-
tre-valeur ! Il s'exécute encore. Naturellement,
à ce train, il sera ruiné et endetté avant un
mois.

Enfin, ils exigent qu'il prête sa carriole. Il la
retrouve maculée de sang. Les jolis messieurs
ont, en effet, assassiné quelqu'un. Le corps de
la victime a séjourné dans la voiture avant
d'être jeté au fond d'un puits. Celui qui la
ramène impose à Vidocq de lui fournir l'empreinte des serrures d'un de ses voisins...

A la nuit, Vidocq prend sa carriole, et, dans
un lieu isolé, en descend et y met le feu. Toute
la nuit, il réfléchit. Comment abrégera-t-il ce
supplice ? Car toute sa vie est un supplice,
désormais... Au petit jour, il prend le chemin
de la préfecture de police, se présente devant le
chef de division Henry, lui confie sa lamentable position, et lui propose un marché. Moyennant que la police consente à ne plus l'inquié-

ter, il offre des révélations sur les malfaiteurs
qu'il découvrira. Henry refuse de s'engager.

« Cela ne doit point vous empêcher de faire
vos révélations. On jugera à quel point elles
sont méritoires. Et peut-être...

— Ah ! monsieur, point de peut-être ! s'écrie
Vidocq. Ce serait risquer ma vie. Vous n'igno-
rez pas de quoi sont capables les individus que
je désire vous signaler ! Et si je dois être reconduit au bagne après que quelque partie d'une
instruction juridique aura constaté que j'ai eu
des rapports avec la police, je suis un homme
mort.

— Dans ce cas, n'en parlons plus ! »

Vidocq se retire librement, mais la police ne
le laissera plus tranquille. Il est dénoncé. Il va
être arrêté. Il s'enfuit, se cache, est dénoncé
encore. Finalement, la chasse à l'homme aboutit à sa capture, une nuit, à trois heures, sur
un toit, derrière une cheminée.

(Dans des circonstances identiques, et aussi
pour la dernière fois avant de devenir le grand
homme de la police, le Vautrin de Balzac, dans
Splendeurs et Misères des Courtisanes, est
arrêté. Et, pareillement, après une lutte sur un
toit.)

DEUXIÈME PARTIE

LE CHEF DE LA SÛRETÉ

> On comprit cet homme, on accepta cette offre, et bientôt se révéla, par ses bienfaits de tous les jours, cette admirable police qu'il a créée, dont il eut le génie...
>
> LANDRIN

VII

LE GÉNIE DE LA POLICE

> J'ai combattu pour la défense de l'ordre, au nom de la justice, comme les soldats combattent pour la défense du pays, sous le drapeau de leur régiment. Je n'avais pas l'épaulette, mais je courais autant de dangers qu'eux et j'exposais tous les jours ma vie comme eux.
>
> VIDOCQ

« ETRE un volant entre deux raquettes dont l'une s'appelle le bagne et l'autre la police, c'est une vie où le triomphe est un labeur sans fin, où la tranquillité me semble impossible. »

Telles sont les paroles que Balzac mettra dans la bouche de Vautrin, s'adressant au procureur général Granville. Telle est la conclusion des réflexions de Vidocq, après quinze années de lutte entre le bagne et la police.

Etre neutre, vivre en paix lui sont interdits.
Il doit choisir : le bagne ou la police. Il choisit
la police. Au reste, il a une idée.

En cet été de 1809, il est incarcéré à Bicêtre.
Déjà les autorités lui ont fait connaître qu'il
serait reconduit au bagne de Toulon, enchaîné.
Les détenus, qui le connaissent de réputation,
pensent qu'il va s'évader. Non, Vidocq ne
s'évadera plus. Il est dégoûté des évasions et de
la pseudo-liberté qu'elles procurent. S'évader
pour retomber dans les griffes des maîtres chan-
teurs des bagnes et des prisons, à quoi bon ?

Pour la seconde fois, il propose sa collaboration à Henry, le chef de division. Vidocq étant
sous les verrous, le fonctionnaire ne risque rien
à tenter une expérience. Il ordonne donc de
surseoir au départ de Vidocq pour le bagne. Le
préfet de police, Dubois, est consentant. Après
expérience, la préfecture décidera s'il convient
d'agréer les services que Vidocq est capable de
rendre en qualité d'agent secret.

Les premiers résultats enthousiasment Dubois
et Henry. Il apparaît que Vidocq a le génie de
la police. Il n'agit pas en mouchard, mais en
détective. Il découvre de grosses affaires igno-
rées de la justice et de la police. Il fait la
lumière sur d'autres restées obscures.

A Bicêtre, toutefois, le champ d'action de
Vidocq est forcément limité. Les prisonniers de
cette maison sont presque tous en instance de
départ pour l'un des bagnes. A la prison de la

Force, il y a davantage à faire. Là, les détenus sont souvent de simples prévenus, encore entre les mains d'un juge d'instruction. Celui-ci a besoin du concours de la police. Avant d'en devenir le chef, Vidocq va développer l'idée et le système de la police judiciaire, lui donner de l'éclat.

A la prison de la Force, l'agent secret Vidocq, aidé, à l'extérieur, par sa fidèle Annette, s'impose définitivement à l'estime, à l'admiration même, de Dubois et de Henry. On ne compte plus les affaires mystérieuses qu'il parvient à éclaircir. De cette époque aussi date la considération dans laquelle le tiendra toujours la majorité de la magistrature.

*

Au début de 1811 (et Pasquier ayant, dans l'intervalle, remplacé Dubois à la préfecture), Vidocq sort définitivement de prison. Il n'en sort pas de façon banale. Afin de ne pas le compromettre, il a été décidé qu'on le transférera de la Force à Bicêtre, et qu'en cours de route il s'évadera. Ce qui se produit.

Vidocq crée alors la police de Sûreté. Il disposera d'une brigade de policiers, mais après des débuts héroïques : un agent, deux agents, trois agents seulement à sa disposition. (Ultérieurement, quelques dizaines.)

Avec des moyens aussi médiocres, Vidocq

épure Paris, ses environs, puis la province. Il se
taille une réputation qui étonne encore, et, en
même temps, une popularité à peu près unique
dans l'histoire. Son nom effraie un peu, tout en
rassurant les braves gens. Il est un objet de
fierté et de terreur à la fois pour les voleurs.
Vidocq est un homme dont le courage, la
force, les ruses, le sang-froid, la sobriété, la
résistance ont raison de tout. Il n'est pas une
affaire qui ait vu l'insuccès de Vidocq. Toujours, ce « phénomène » sort triomphant des circonstances les plus variées, les plus épineuses.
On lui passe les pires dossiers. Là où toutes les
polices de France ont échoué, il gagne.

En quoi consiste ce qu'il appelle « police de
sûreté » ? Voici sa réponse : « Une police répres-
sive, qui n'est jamais préventive, est une mons-
truosité. » D'où : la police dont il importe de
doter le pays est une police de sûreté, police
essentiellement préventive.

Il met la main à la pâte. En ce temps-là la
police se compose, en haut lieu, de quelques
personnages plus ou moins distingués, sédentai-
res dans les bureaux de la préfecture et du
ministère de la Police, et, tout en bas, d'une
légion d'individus douteux, mouchards occa-
sionnels, recrutés temporaires, issus des bagnes
et des prisons où ils retourneront bientôt, après
avoir commis, dans l'exercice de leurs fonctions, de nouveaux délits. La police n'a pas sa
« classe moyenne », pas de cadres, pas de corps

de sous-officiers ou de contremaîtres comme on voudra. Les préjugés sont rois. Il est réputé odieux, coupable, déshonorant de servir la police. Il n'y a donc pas vraiment de police. Certains ministres ou préfets réussissent, parce qu'ils disposent de plus ou moins d'argent et, sporadiquement, de quelques bons indicateurs. Le reste du temps, la police est peu efficace. Les seules évasions et aventures de Vidocq lui-même le prouvent assez.

Nommé ou plutôt, au début, s'intitulant chef de la Sûreté, Vidocq ne demeure pas inerte dans son bureau de la petite rue Sainte-Anne (siège de son service). Il est le plus souvent au-dehors, en expédition. Pour lui, le jour et la nuit ne sont pas distincts. Les chemins, la température, le danger ne diminuent pas son action. Il besogne dur, comme un pionnier. Il recrute ses agents comme le fait la police généralement, dans le monde des repris de justice, avec cette différence qu'il les choisit, les éprouve, et prend de préférence des êtres repentants ou ayant injustement souffert des rigueurs de la loi, ou des injustices de la justice, comme lui-même. On ne marche pas à l'assaut des bastions du crime et du vol avec des premiers communiants. Vidocq veut pour collaborateurs des hommes initiés aux astuces, aux tours, aux habitudes, aux pratiques, au langage des voleurs et des assassins, ne serait-ce que par leur séjour dans les prisons et les bagnes. Voudrait-il recruter ses collaborateurs ailleurs, il ne le pourrait pas. Il n'existe pas de candidats, en France, à cette époque, pour les emplois subalternes de la police. Des bureaucrates, oui. Des agents, non.

*

Pendant les dernières années du Premier Empire et les premières de la Restauration, Vidocq a sur les bras une tâche énorme. A Paris seulement, lui-même et ses hommes n'arrêtent jamais moins de deux mille coupables par an. En cinq ou six ans, il atteint le chiffre de dix-sept mille ! Or, il n'a que des bureaux restreints, des moyens de communication lents et difficiles, et pas toujours des collaborateurs à la hauteur de son intelligence.

Dans ses procédés, il a des formes qui font crier ses envieux à la provocation. A cela, il répond que, jusqu'à lui, la police s'est montrée aussi maladroite en fait de répression, qu'elle était inexistante en tant que police préventive.

« Nul de ses agents n'est directement sur la trace d'un coupable, quel qu'il soit. Cependant, de temps à autre, on arrive à des découvertes. Voici le procédé. Une razzia est pratiquée... Les gens mis ainsi sous la main de la justice sont en partie vagabonds et voleurs. Pour diminuer, s'il est possible, la durée de la détention dont ils sont menacés, ils révèlent des crimes dont ils

ont eu connaissance, qu'ils y aient ou non par-
ticipé. Des arrestations importantes ont lieu sur
leurs indications, et de dangereux bandits
expient par suite au bagne ou sur l'échafaud la
trop longue série de leurs crimes. La police
vante alors son habileté. Nous affirmons, nous,
que la délation provoquée et commandée par
la position du détenu est son unique ressource.
Or, dût-on rire de nos scrupules à propos de
gens aussi corrompus que les victimes de ces
rafles générales et arbitraires, nous affirmons
que c'est un moyen doublement immoral et
honteux. »

La provocation ? Vidocq en pense ceci :

« En matière de vol, je ne pense pas qu'il y
ait de provocation possible. Un homme est
honnête ou il ne l'est pas. S'il est honnête,
aucune considération ne sera assez puissante
pour le déterminer à commettre un crime. S'il
ne l'est pas, il ne lui manque que l'occasion, et
n'est-il pas évident qu'elle s'offrira tôt ou
tard ?... En définitive, on ne me persuadera
jamais que ce soit un mal de jeter à la vipère
le lambeau d'étoffe sur lequel doit s'épuiser son
venin. » Au reste, tout n'est-il pas provocation
sur la terre : amours, affaires, plaisirs ?...

VIII

LE GÉNÉRAL

> Cet homme, d'une activité
> de général en chef...
>   BALZAC

CHACUN des exploits de Vidocq fournirait à un
auteur de romans policiers de quoi passionner
ses lecteurs deux cents pages durant. Et une
vie d'auteur n'y suffirait pas, car la carrière du
chef initial de la Sûreté compte des centaines
de prouesses.

Cette carrière s'étend — dans sa première
partie — sur quelque dix-sept années. Une
période plus longue que ne l'a été la carrière
politique de Napoléon Bonaparte. Lui, Vidocq,
est entré en scène sur la fin de la dictature
napoléonienne. Il a commencé à épurer la
capitale et à procurer la tranquillité à ses habi-
tants. Car, au temps du Corse illustre, il se
peut que les peuples de l'Europe aient tremblé,
mais nullement les brigands qui faisaient la loi

sur les routes de l'empire français ni les voleurs
et assassins qui étaient pratiquement les maîtres de la capitale.

Depuis les dernières années de la Révolution,
il en allait ainsi. Il n'était pas plus prudent de
circuler, la nuit, dans Paris, que sur les routes
du territoire où les « chauffeurs » et autres spé-
cialistes des attaques à main armée agissaient
presque impunément.

(Un petit détail, qui en dit long : Napoléon
et Joséphine, personnellement, ont été plusieurs
fois volés, dans leurs résidences des Tuileries et
de Saint-Cloud.)

Lors de son débarquement à Fréjus, revenant
d'Egypte, Bonaparte prend le chemin de Paris,
laissant derrière lui ses bagages et ses biens aux
mains de son Mamelouk Roustam. Voyant
celui-ci charger ses pistolets :

« Que fais-tu là ? lui demande-t-il.

— Je charge mes pistolets en cas de besoin.

— Nous ne sommes pas en Arabie, à présent, nous n'avons pas besoin de toutes ces pré-
cautions-là ! »

Roustam abandonne ses pistolets. En route,
contrairement à ce que lui a affirmé Bonaparte, il est attaqué. Les bagages du général
sont pillés...

Lorsque Roustam arrive à Paris, rue Chante-
reine ou de la Victoire, au domicile de son
général, celui-ci lui dit :

« Eh bien, Roustam, tu as donc rencontré les Arabes français ?

— Oui. Cependant, vous m'avez dit qu'il n'y avait pas de Bédouins en France. Moi, je vois qu'il y en a dans tous les pays.

— Oh ! que non. Je ferai finir bientôt ça. Je ne veux pas avoir, en France, des Arabes.

— Je crois que ça sera un peu difficile », se hasarde à dire Roustam.

*

Perspicace, ce Mamelouk. Onze ans plus tard, à l' « apogée » de l'Empire, quand Vidocq apparaît, les criminels ne connaissent pas de meilleur théâtre que Paris. On ne compte pas les maisons cambriolées, les réverbères volés, les coffres éventrés, les Parisiens assassinés chaque nuit... L'entrée en scène de Vidocq procure une trêve. Elle n'est pas de longue durée, parce que l'adversaire prend conscience de l'insuffisance des forces réunies contre lui. Mais le chef de la Sûreté reçoit l'autorisation de recruter quelques agents de plus, et la situation s'améliore nettement. Il était temps. Pour ne se servir que d'un exemple, ne constatait-on pas jusqu'à trente vols, dans une seule nuit, au faubourg Saint-Germain ?

La police municipale était impuissante. Les voleurs se groupaient aux barrières de la Courtille, du Combat, de Ménilmontant. Et ils apparaissaient si forts par le nombre et par l'audace, que les gendarmes et les agents, intimidés à leur tour, n'osaient se mesurer avec eux.

« Ils nous massacreraient tous ! Très peu pour nous ! »

Pasquier, qui dira que, dans l'histoire de la Police, peu d'hommes ont été plus utiles que Vidocq, Pasquier pensa que Vidocq réussirait, vaincrait :

« En tout cas, sauvez la situation ! »

Et il le charge de la lutte avec cette armée spéciale, que le pouvoir de l'Empereur ne parvient pas à écraser.

Napoléon tombera, la France sera « occupée ». D'où une source abondante de nouveaux méfaits pour les professionnels. Vidocq aura raison de tout cela.

Très vite, il est devenu très fort. Sa renommée est éclatante. Il gêne les uns. Les autres l'envient. Les malveillants le détestent. Ses rivaux ne dorment plus, car sa perspicacité a raison de tout et de tous. Et elle est telle que, pour nommer les auteurs d'un cambriolage ou d'un meurtre, les moindres renseignements lui suffisent. A peine lui a-t-on signalé deux ou trois circonstances, qu'il interrompt, soit le préfet, soit un agent, soit un plaignant, par la même phrase ferme, précise :

« Le coupable est un tel ! »

Grâce au gigantesque, à l'inépuisable fichier constitué dans sa surprenante mémoire (« Mes livres de commerce sont là ! », dira, en se frappant le front, Vautrin à Rastignac), il ne perd de vue ni les bagnes, ni les prisons, ni les « escarpes », ni les « grinches », ni les escrocs de tout acabit, les banquiers suspects et les chevaliers d'industrie, les trafiquants et les espions. — « Une activité de général en chef. » (Balzac *dixit*.)

L'existence de ce grand seigneur ou de cette dame illustre, faubourg Saint-Germain, n'a pas plus de secrets pour lui que la vie agitée du dernier voyou de la Maubert. Il décèle les tares et les vices des uns et des autres. Il pénètre les mystères de la vie privée de tel magistrat réputé incorruptible. Il peut dire par quelles répugnantes intrigues cet opulent personnage, nullité crasse, a obtenu cette charge qui le rend prestigieux. Il se retient de clouer au pilori ce général couvert d'honneurs, dont le nom brille dans *Victoires et Conquêtes*, et qui a commencé sa carrière dans le déshonneur de l' « Armée roulante », à l'aide de faux brevets. Il expliquera à Balzac au moyen de quelles escroqueries ces banquiers ont — comme Nucingen et Du Tillet — fondé leur fortune, etc., etc. Il révélera que M. le marquis de Chambreuil, directeur général des haras royaux, directeur de la police du château, fastueux personnage, abondamment décoré et chamarré, n'est qu'un

forçat en rupture de ban. Il mettra la main
sur le colonel comte de Pontis de Sainte-Hélène, protégé du duc de Berry, bien vu de
Louis XVIII, — en fait, un dangereux forçat,
réputé insaisissable... Il démasquera M. le marquis de Fénelon, gentilhomme de la Chambre
du roi. « Fénelon, oui, marquis, non : c'est le
forçat Fénelon ! » Il confondra le feutier en
chef de la cour : « Jalade est un faussaire ! » Ses
regards fouillant le secrétariat des commande-
ments du monarque : « Tiens, Morel est ici ?
Mais alors, il s'est évadé du bagne de Brest ! »
Il entendra vanter les vers de M. de Maugenest,
un gentilhomme accompli, et qui chante si
bien les Bourbons ! « Ta, ta, ta... Il s'appelle
Ménégaut — tout court. Il a chanté la Répu-
blique et Napoléon. C'est son droit. Mais il
réunit aussi quatre ou cinq condamnations
infamantes. Alors, de quel droit ?... » Et que
M. le maréchal de camp Stévenot ne montre
pas trop sa croix de Saint-Louis !... « Comment ?
Stévenot ! le meilleur défenseur de la monarchie légitime ? — Le meilleur défenseur de la
monarchie légitime n'est qu'un forçat. Il s'est
évadé du bagne de Brest. Il y était pour avoir
commis un grand nombre de vols. Sous la
Révolution, il était farouche sans-culotte ! » Et
ainsi de suite.

Toutes les laideurs lui sont connues. Toute
circonstance nouvelle survenue dans la « car-

rière » d'un de ces « messieurs » est immédiatement enregistrée dans sa mémoire. Rien
n'échappe à ses investigations. Il sait comment
chacun opère.

Une nuit, un riche marchand de nouveautés,
Prunaud, est dépouillé de cinquante pièces
d'indienne et de plusieurs schalls de grande
valeur. Il se rend chez le chef de la Sûreté...

Vidocq ne lui laisse pas le temps d'achever :

« Vous avez été volé par la bande Berthe,
Mongodard et Cie. Soyez sans inquiétude !
Avant la fin du jour, je vous donnerai des nou-
velles de vos marchandises. »

M. Prunaud s'en va gaiement. Vidocq lance
quelques agents, dûment chapitrés, sur les traces des individus qu'il soupçonne. Car il sait
où ils boivent, mangent, s'amusent. Et les noms
et adresses des filles qu'ils préfèrent. Et les spé-
cialisations des receleurs... En bref, le soir
même, les marchandises réintègrent le magasin
de nouveautés, et les voleurs se retrouvent au
complet, avec leur receleur, au dépôt.

Succès, popularité, fortune, la terreur qu'il
inspire, tout exaspère... A lui seul, il abat vingt
fois plus d'ouvrage que l'ensemble de ses
rivaux.

Combien sont-ils ? Eh bien, la préfecture
compte vingt-quatre officiers, quarante-huit
commissaires, vingt-quatre agents publics ou
secrets de la police centrale, vingt agents at-

tachés au cabinet particulier, autant auprès du secrétaire intime, cinquante autres agents secrets (les indicateurs mis à part, ainsi que les « agents de haut parage » — les « honorables correspondants » actuels — dont le traitement fastueux égale parfois deux années de solde d'un général).

On critique Vidocq, on peut le détester, mais on le craint. Ceux qui peuplent les prisons et les bagnes où il les a fait expédier ne le respectent pas moins. Ils l'appellent souvent « le chef de la police de France », lui donnent du « général », du « monseigneur », de l' « excellence ». Comme à un ministre.

Cela surprend les ennemis de Vidocq.

« Comment, disent-ils, n'est-il pas détesté des forçats ? Pourquoi l'ont-ils en grande vénération ? D'où vient qu'ils le traitent de « monseigneur » et d' « excellence » ?

C'est qu'il est comme un père ou comme un frère pour les bagnards repentants qui s'adressent à lui. Ce trait caractérisera le Vautrin de Balzac, incorruptible et grand banquier des bagnes. Vidocq, en effet (et ses détracteurs le reconnaissent), est « le dépositaire des ressources de ceux qui se gardent une poire pour la soif. Et jamais on n'a entendu dire (c'est un malveillant qui parle) qu'ils n'aient pas trouvé en lui un trésorier fidèle. Il se prête volontiers à favoriser leurs relations avec leurs familles, leurs femmes, leurs enfants. Souvent il est leur intermédiaire... A chaque départ de chaîne, il exerce des libéralités envers les plus misérables. »

Certes, tous n'étaient pas conquis, et des menaces pesaient sur lui. Mais, implacable logicien et psychologue, Vidocq disait :

« Bien des forçats renommés pour leur intrépidité ont fait le serment de m'assassiner aussitôt qu'ils seraient libres. Tous ont été parjures et tous le seront. Veut-on savoir pourquoi ? C'est que la première, la seule affaire pour un voleur, c'est de voler. Celle-là l'occupe exclusivement. S'il ne peut faire autrement, il me tuera pour avoir ma bourse : ceci est du métier. Il me tuera pour anéantir un témoignage qui le perdrait : le métier le permet encore. Il me tuera pour échapper au châtiment. Mais quand le châtiment est subi, à quoi bon ? Les voleurs n'assassinent pas à leur temps perdu... Et rancune de voleur ne dure pas ! »

IX

LES FAUX MONNAYEURS

> Dans l'addition des coquins,
> deux et deux ne font jamais
> quatre : deux et deux font
> vingt-deux.
>
> VIDOCQ

EN haut lieu, on blâme généralement la témérité de Vidocq. En fait, il sait être, suivant le
cas, prudent, diplomate, astucieux, audacieux.
Pour l' « affaire de la forêt de Sénart », l'un de
ses chefs-d'œuvre, il prend place dans la diligence qu'une bande doit attaquer. Il y a combat... Egalement lors de l' « affaire des dépôts
d'armes » de la forêt de Bondy. Et ainsi dans
vingt autres affaires de pareille envergure. Mais
il ne traite pas tous les cas en général d'armée.

Par exemple, en 1816, un individu qui sollicite un emploi dans la police se livre à quelques dénonciations. L'une d'elles permet d'arrêter un faux monnayeur. Dupaty, qui nie éner-

giquement. La préfecture s'est enferrée. D'où, recours à Vidocq, suivant l'habitude. Et Vidocq hausse les épaules :

« Relâchez cet homme ! C'est une erreur que de l'avoir arrêté prématurément. Il faut le prendre en flagrant délit ou perquisitionner chez lui. Or vous n'avez pas son adresse ! »

Dupaty est relâché, après avoir reçu des excuses. Il quitte la préfecture tout fier de lui-même, riant de la police, et, dans sa joie, néglige de prendre des précautions. Vidocq n'en néglige aucune. Ses agents sont à l'œuvre. Avant même que Dupaty ait été libéré, son meilleur lieutenant, Fouché, s'est placé en faction. Celui-ci ne lâche pas son homme. Il découvre son « repaire », le voit procéder à différents achats au Palais-Royal, et payer systématiquement avec des pièces de petite valeur. Il peut dire bientôt à Vidocq :

« J'ai la certitude que Dupaty est un faux monnayeur. Demandez un mandat de perquisition pour l'hôtel de Strasbourg, et nous en aurons bientôt la preuve. »

Vidocq se fait délivrer un mandat et découvre, chez Dupaty, pour cent quatre-vingt mille francs (des francs-or) de ces petites pièces que Fouché lui a vu écouler au Palais-Royal. Vidocq, qui tient le bon bout, veut en savoir davantage. Et il peut bientôt révéler au préfet que Dupaty ne fabrique pas de fausse monnaie : il l'écoule. D'où provient-elle ? De Grande-

Bretagne. Ces pièces sont jetées sur le marché français par le gouvernement britannique : Dupaty est un de ses intermédiaires.

Pour confondre un autre faux monnayeur, incarcéré dans d'assez fâcheuses conditions, Vidocq n'hésite pas à se faire mettre au secret avec lui. L'individu soupçonné est un chimiste. Sa spécialité : la fabrication des pièces de cinq francs. (Cinq francs de ce temps font quinze cents francs d'aujourd'hui.) Personne ne peut fournir d'indications sur son adresse, sa famille, et il est d'un mutisme farouche. Vidocq, « prisonnier politique », est littéralement jeté auprès de lui, les vêtements en désordre, les poignets meurtris. Vingt-quatre heures durant, il ne cesse de se plaindre, répond brutalement au chimiste, et parle de se tuer... Tel jour, pourtant, un guichetier lui remet un panier de vivres, apporté par sa femme. Donc, il conclut, pour le faux monnayeur, qu'elle l'a apporté elle-même. La cellule possède une croisée. Par les trous de l'abat-jour, on doit voir à l'extérieur. On verra donc la femme quand elle apportera un autre panier. Le lendemain, à la même heure, les deux hommes guettent.

« J'aperçois une grande femme avec un panier. Serait-ce votre épouse ?

— C'est elle. Je suis content. Elle est exacte. »

Il roule dans ses doigts un morceau de papier, le jette par la croisée, comme pour indiquer où il est prisonnier. Le chimiste voit la femme se baisser pour ramasser la boulette...

« Voyez, lui dit Vidocq, si je lui avais jeté un papier écrit, elle l'aurait tout aussi bien ramassé. Demain, elle aura une lettre de moi. »

Le lendemain, une lettre est lancée. Le surlendemain, Vidocq pleure. Il écrit encore. Le faux monnayeur se penche sur son épaule et lit. Son compagnon annonce qu'il va se donner la mort. Il recommande à sa femme de tout liquider, de confier les enfants à leur grand-mère, et de partir pour Londres, après avoir brûlé tous ses papiers... Puis, comme il parle encore de se tuer, le chimiste se déchausse, et, d'une de ses semelles, retire quelques lames, fabriquées avec des pièces de six liards, et tranchantes comme des rasoirs. Voilà de quoi se trancher les veines et mourir sans souffrance. Vidocq remercie.

L'autre, au secret depuis si longtemps, demande alors si la grande dame ne pourrait pas se charger d'une lettre pour une de ses amies. « Elle ne demandera pas mieux », assure Vidocq. Le faux monnayeur écrit donc à cette amie, en termes couverts. Son invention lui a été funeste. Il ne veut pas indiquer son adresse, parce qu'il entend qu'on ne puisse pas, lors d'une perquisition, prendre connaissance de ses procédés. Qu'elle fasse tout disparaître. Après, il parlera, déclinera son domicile, et il sera relâché.

Le billet est roulé, jeté dans la rue... Le lendemain, un geôlier se présente et dit à Vidocq, d'un ton brusque :

« Prenez toutes vos affaires : vous allez être transféré à la Force ! »

Quelques instants plus tard, Vidocq est dans son fauteuil, derrière son bureau. Il possède le nom et l'adresse de la maîtresse du faux monnayeur. Sa fidèle Annette va agir, et lui encore, avec elle, déguisé en commissionnaire.

Annette, à la femme en question, déclare qu'elle vient de la part de son amant. Il a été malade, hors de Paris, il rentre, et la prie de passer chez lui pour l'y accueillir.

L'amante s'apprête et part, emmenant Annette. Vidocq suit. A la porte du logis tant recherché, il se manifeste. Commissionnaire, il se renseigne :

« C'est bien ici la maison du chimiste ?

— Que voulez-vous ? demande la femme.

— Ce que je veux ? répond le commissionnaire impayable. Je veux rien. Il m'a tant seulement dit de vous dire que si quéque z'uns vient le demander, de les envoyer au café, au coin de la rue des Fossés-Monsieur-le-Prince.

— Que fait-il dans ce café ? Avec qui est-il ?

— Ce qui y fait ?... y fait... y fait rien. Y joue et y boit, pas plus. Je vous promets qu'y fait pas d'mal.

— Oh ! un jour pareil, au lieu d'accourir, d'être déjà dans mes bras, il joue au billard...

— Allons le chercher, propose Annette.

— C'est ça, venez avec moi, dit le commissionnaire, je vous y mènerai tout droit. C'est à deux pas ! »

Devant la porte du corps de garde de la plaçe Saint-Michel, deux de ses agents s'empressent :

« Qu'ordonne le général ?

— J'ordonne à ces deux femmes d'entrer au poste, et, si elles font des difficultés, je vous enjoins de les contraindre.

— Eh quoi ? nous n'allons pas...

— Au nom de la loi, je vous arrête, interrompt Vidocq, qui tire de sa poche un mandat. Lisez et regardez-moi bien... Vous ne m'avez jamais vu ?

— Mais...

— Une autre fois, vous me reconnaîtrez... »

La maîtresse du faux monnayeur, qu'il fallait empêcher d'accéder au « laboratoire », était par précaution détenue momentanément. On la remit en liberté aussitôt après la perquisition. Le coupable, extrait du dépôt, se considéra comme perdu dès qu'il vit la voiture se diriger vers la rue de l'Estrapade. En sa présence, on mit la main sur plusieurs instruments qui lui servaient à fabriquer ses pièces fausses...

De ses propres mains, Vidocq a arrêté le faux monnayeur Watrin, au début de sa carrière. Watrin est recherché depuis plusieurs

années. Habile, il ne laisse aucune trace. Grâce
à son flair, Vidocq décèle quelques-uns de ses
pas. Watrin a habité une maison garnie du
boulevard Montparnasse et y a laissé quelques
effets. Donc, tôt ou tard, il reviendra les prendre ou les fera prendre.

Vidocq loue une chambre, voisine de celle
qu'occupait Watrin, et y passe ses nuits. A
quinze jours de là, alerte ! Le faux monnayeur
vient d'arriver, accompagné d'un autre individu. Vidocq s'élance, mais trop tard ! Watrin
a filé. Heureusement, le complice reste entre
ses mains. Celui-ci, intimidé par Vidocq, lui
indique son propre domicile. Vidocq estime
que Watrin doit en disposer occasionnellement.
Rapide comme l'éclair, il y arrive tandis que
Watrin en sort, et se jette sur lui. Mais le faussaire lui échappe, remonte l'escalier, lui déco-
che un coup de pied, qui ralentit la poursuite
du policier, et parvient à s'enfermer.

Vidocq s'adresse à Annette, qui l'a suivi, lui
crie d'aller chercher la garde et feint de descendre... Watrin, que la peur de la garde
pousse à une tentative d'évasion, met la tête à
une fenêtre. Vidocq, posté à une autre fenêtre,
séparée seulement de celle de Watrin par un
mur de refend, empoigne le criminel par les
cheveux, le sort par la fenêtre, l'enlève, le
ficelle et l'emporte à la préfecture. La cour
d'assises le jugea le 14 septembre 1811.

L'année suivante, la Banque de France a connaissance d'un faux billet de mille francs, parmi ceux rentrés dans la journée du 21 juillet. Il en rentre d'autres, d'aussi mauvais aloi : environ trois ou quatre par semaine. La police est informée, mais ses recherches n'aboutissent pas. En avril 1813, enfin, on saisit Vidocq de cette affaire. Le soir même, quelques-uns de ses agents spécialisés et lui-même font la tournée des maisons de jeu. Dans l'une d'elles, au cours de la nuit du 18 au 19 avril, un joueur sort un billet de mille francs (trois cent mille francs de notre temps). Vidocq se rapproche d'un autre joueur, qu'il a vu causer avec celui-ci.

« Ce monsieur, lui dit-il, joue d'une manière agréable. Son sang-froid ne l'abandonne pas. C'est, je crois, un banquier...

— Qui, ce monsieur ?

— Oui, ce monsieur-là.

— Eh non ! c'est un peintre, M. Allais, que j'ai déjà vu ici et dans d'autres parties. »

Un peintre. M. Allais... Vidocq en sait assez. Il s'agit du miniaturiste Nicolas Allais. Le lendemain, il repère son domicile, place Marengo (place du Louvre), suppute qu'il fabrique ses faux billets un à un, qu'il a écoulé la nuit précédente les derniers, qu'il faut lui laisser quelques jours pour en achever de nouveaux, et l'arrête, le 24 avril, alors que le peintre, sorti de chez lui, s'apprête à passer le pont des Arts.

Bien entendu, il le ramène à son logis et découvre, caché dans des bosses en plâtre, du papier identique à celui des vrais billets, de l'encre de Chine, des pinceaux encore imbibés et humides, puis, sous la tablette de la cheminée, un carton sur lequel est fixé un billet authentique. Un calque y est superposé. On y voit les vignettes exactement reproduites. Le texte et les signatures manquent encore.

Vidocq le fait avouer, car il a l'art de « cuisiner » (on le surnomme aussi « le cuisinier du siècle ») sans recourir aux brutalités. Allais est stupéfait. Comment a-t-il pu être pris, à peu près en flagrant délit ? Personne n'a jamais pénétré chez lui. Il tient seul son ménage, et seul il fabrique ses faux billets.

« Combien ? demande Vidocq.

— Trente et un billets de 1 000 et trois de 500. »

Tous arrivèrent à la Banque, qui les paya, puis les brûla, sauf un, conservé au dossier. La Banque, encore, alloua une récompense de six mille francs au chef de la Sûreté. Au reste, on observa le silence sur cette affaire. L'art de la miniature était en grande vogue, alors, et les billets de la Banque souvent en défaveur dans le public, qui en réclamait le paiement dès qu'une crise surgissait. En 1813, année catastrophique, la prudence s'imposait plus que jamais. Nicolas Allais fut donc mis au secret à Vincennes, transféré à Angers en 1814, et libéré au début des Cent-Jours, sur l'ordre du duc de Bourbon, gouverneur (pour Louis XVIII) de la Vendée.

En 1822, Vidocq interrompt pareillement l'activité du faux monnayeur Louis Collard. Celui-ci n'est pas un peintre, mais un marchand de tableaux, établi rue de Seine, et établi grâce à ses faux billets. Auparavant, jusqu'en avril 1822, il travaillait chez son oncle, Rolland, autre marchand de tableaux, place des Victoires, et gagnait vingt-cinq francs par mois (sept mille cinq cents francs de notre temps).

La misère (il était marié) le pousse à améliorer son sort, et il choisit la voie fatale. Moins fort que Nicolas Allais, il utilise un papier auquel manque le filigrane, le chiffre de la Banque de France (B. de F.). Moins adroit, il se fait pincer par Vidocq à la Banque même !

En résumé, Collard s'essaie à fabriquer à partir d'octobre 1821. Il sort ses premiers billets au début de 1822. Le 15 août seulement, le caissier principal de la Banque de France, M. Crouzas-Crétel, s'aperçoit que quatre faux billets ont été acquittés et rangés parmi ceux destinés à être annulés. La préfecture est alertée. Traditionnellement, on ne fait appel à Vidocq, en désespoir de cause, qu'un mois plus tard.

Le chef de la Sûreté découvre le faussaire,

son domicile (rue de Seine, n° 24), son atelier
(rue de Cléry, n° 49), et le prend sur le fait, le
21 septembre, environ 14 heures, quand Collard
se présente à la caisse de change et remet trois
billets de 1 000 francs pour lesquels il demande
des billets de 500 francs.

Collard avait écoulé déjà trente-neuf billets.
Chez lui, rue de Seine, Vidocq met au jour
une somme cachée de quarante-trois mille quatre cent soixante francs en pièces d'or de 20 et
40 francs.

Laffitte voulut que la Banque fût généreuse.
« Cette générosité est un acte nécessaire de pré-
voyance pour l'avenir », dit-il au conseil général, le 2 janvier 1823, et il fut décidé que la
police de Vidocq recevrait une gratification de
douze mille francs. (Il semble que la somme
remise à Vidocq fut réduite à cinq mille
francs.)

X

LES TUEURS

> Il n'y a personne dans Paris dont je ne connaisse la physionomie.
>
> VIDOCQ

UNE arrestation s'effectue sans éclat. Tel est le principe de Vidocq. Le coupable ne doit pas soupçonner qu'il est découvert, que la police est sur ses traces. Il faut qu'il tombe, de lui-même, comme un fruit mûr, dans les mains de la justice. Les stratagèmes de Vidocq sont un sujet de conversation, dans le monde, et il advient que des personnalités sollicitent d'assister au « couronnement » d'une de ses entreprises.

Un dimanche matin, Vidocq est informé qu'une fille, surnommée la Belle Normande, a été assassinée. Le meurtrier s'est emparé de ses bijoux. Quelques heures plus tard, le chef de la Sûreté connaît le lieu du crime, le café où la victime et l'assassin se sont rencontrés, le signalement de ce dernier, et sa profession même, car le meurtrier a déposé momentanément un paquet chez le portier de la maison où s'est déroulé le drame. Ce paquet était mal fait. Le portier a cru y reconnaître un outil d'élagueur. Vidocq sait aussi que le maître élagueur qui emploie le plus d'ouvriers est celui de Sceaux. Emmenant avec lui une camarade de la Belle Normande, qui a entrevu l'homme de la dernière rencontre, il part pour Sceaux.

Le maître élagueur n'est pas chez lui. Seule sa fille se tient à la maison. Vidocq parle bas à la courtisane, et celle-ci répond que la demoiselle ressemble assez au meurtrier. Sur place, il apprend que l'élagueur a deux fils, l'un bon sujet, l'autre très mauvais. De celui-ci, il a promptement le signalement. Il rentre à Paris.

Le lendemain, un de ses agents, déguisé en laquais, fait proclamer à son de caisse, dans les rues de Sceaux, que son maître, M. de Saint-Firmin (l'un des pseudonymes de Vidocq), accordera dix louis de récompense à qui lui ramènera le chien de chasse qu'il a perdu, un épagneul de valeur. Derrière l'appariteur, qui bat tambour, et l'inspecteur-laquais qui marche cérémonieusement à côté de lui, roule lentement une calèche. Y ont pris place, élégamment vêtus : Vidocq et la courtisane, et un monsieur et une dame, admirateurs du chef de la Sûreté. La fille porte une voilette.

A mesure que le tambour bat, la population se presse, anxieuse de connaître le bénéficiaire de la récompense. Vidocq en fait augmenter le montant : « 15 louis ! » Soudain, au premier rang des curieux se faufile un jeune homme. La fille dit à voix basse :

« Il est là ! » Vidocq le distingue et l'interpelle :

« Je pense bien que c'est vous que j'ai rencontré dimanche. Nous avons causé un instant. Vous avez même caressé mon chien !

— Moi, monsieur, je ne vous ai seulement jamais vu. Pas plus que votre chien. Dimanche, je suis allé danser à la barrière.

— Je vous demande pardon, mais je suis certain que c'est bien vous qui avez emmené mon pauvre Brillant ! Je vous en conjure : rendez-le-moi ! Je suis prêt à vous compter les trois cents francs promis.

— Que je vous le rende !... Ah ! je serais bien aise de l'avoir trouvé, ça me ferait une bonne journée !

— Vous faites l'ignorant, mais des personnes qui ne peuvent pas se tromper m'ont assuré que vous avez mon chien, et que vous l'avez emmené à votre domicile.

— Elles en ont menti. Je n'ai pas de chien. Je demeure à Paris, dans un garni où l'on ne tolère pas les chiens.

— Je veux bien vous croire, mais, pour me rassurer tout à fait, conduisez-moi à votre logement, et je vous donnerai douze francs pour votre peine. »

La somme est alléchante. L'élagueur la gagne-t-il dans sa semaine ? Il donne dans le piège.

« S'il ne s'agit que de cela, voilà douze francs qui seront bientôt gagnés ! »

Et il monte dans la calèche. L'élégante confirme à Vidocq, par un autre signe, qu'elle reconnaît bien l'homme. M. de Saint-Firmin commande au cocher de fouetter... Et tout se fût passé sans histoire, si la camarade de la Belle Normande eût pu conserver son sang-froid. Le contact de cet assassin la saisit. Va-t-elle s'évanouir ? Elle prononce quelques mots pour s'excuser. L'élagueur se trouble, croit reconnaître cette voix, pâlit, et, tout de suite, il dit à M. de Saint-Firmin :

« Ma foi, monsieur, j'ai réfléchi. Je ne veux pas aller plus loin. J'ai des affaires.

— Laissez donc ! Vous irez bien jusqu'à Paris...

— Je n'irai pas, et, pour preuve, c'est que je vais descendre à la minute. »

Et comme il se lève pour sauter, Vidocq le prend à la gorge, le renverse et lui passe les menottes...

Quand Guichet (c'est le nom du meurtrier) peut enfin descendre de la calèche, c'est devant la maison meublée où il a son logement. Vidocq envoie querir le commissaire. Perquisition. Apparaissent quelques-uns des bijoux de la Belle Normande et quelques objets qui vont servir de pièces à conviction. Mais Guichet nie avec beaucoup d'aplomb. Vidocq le conduit chez sa victime. Il fait monter le portier et le propriétaire du café, qui le reconnaissent. Guichet tient tête. Devant le drap ensanglanté, dans quoi il a enveloppé sa victime, il continue de nier. A deux heures du matin, Vidocq s'arrête. A cinq heures, il retournera à Sceaux, afin de vérifier si les vêtements laissés par Guichet ne sont pas tachés de sang. En attendant, pendant trois heures, il ne se sépare pas de son prisonnier, qui passe la nuit sur un banc et qui dort... du sommeil du juste, pour faire mentir le proverbe. Au réveil, il n'avoue pas. A Sceaux, pas davantage. Alors Vidocq essaie d'une autre manière, car il a l'art aussi de « dindonner » les coupables. Il lui demande donc quel âge il a :

« J'ai vingt ans.

— Ma foi, tu es bien heureux ! Mais, vraiment, tu es sûr de n'avoir que vingt ans ?

— Oui, monsieur.

— Ah ! tant mieux pour toi ! Cela sera regardé comme une étourderie de jeunesse.

— Comment dites-vous ?

— Je dis que tu es heureux de n'être pas majeur, sans quoi on t'aurait coupé le cou, au lieu que tu en seras quitte pour cinq ou six mois de prison.

— Bien vrai !

— Certainement. C'est du ressort de la correctionnelle. Par exemple, tu ne peux pas éviter la prison.

— Six mois de prison ! Si ce n'est que ça, c'est bientôt passé. Ma foi, autant avouer la vérité tout de suite. Oui, monsieur, c'est moi qui ai fait le coup.

— Je le savais bien.

— Maintenant, monsieur, faites-moi donner un cervelas et une bouteille de vin : j'ai besoin de prendre des forces.

— Volontiers.»

Vidocq fait servir Guichet, qui mange aussi copieusement qu'il dort paisiblement. Puis il le produit devant un magistrat. Sur ce, après quelques hésitations, habilement calmées par Vidocq, il raconte :

« Oui, c'est moi qui ai tué cette pauvre fille pour lui voler tout ce qu'elle possédait... Lorsque je fus couché avec elle, après avoir assouvi ma passion deux fois, je lui dis que je voulais dormir. Elle m'embrassa et me souhaita bonne nuit. Je ne voulais pas dormir, et pourtant je me suis assoupi. Mais, la tête remplie de mon idée, je me réveille, et, voyant qu'elle dormait profondément, je me lève et je vais prendre mon croissant (outil d'élagueur) pour faire le coup... Au moment où je me disposais à la frapper, elle se retourna de mon côté, son bras parut me chercher, je n'eus que le temps de

mettre la moitié de mon corps sur son lit et
ma tête sur le traversin. Me sentant, elle m'embrasse, se retourne et s'endort de nouveau. Je
me recouche auprès d'elle, mais, peu d'instants
après, je lui porte un coup au cou. Elle fait un
mouvement et veut crier : je lui en porte un
second. Alors, lui saisissant les deux mains, je
monte sur le lit et les lui attache avec un mouchoir. Pendant l'opération, je lui tenais les
genoux sur l'estomac, et c'est dans cette position qu'elle est morte... Après qu'elle eut rendu
le dernier soupir, je me suis levé, j'ai cherché
dans la chambre ce qui me convenait, et,
quand tout a été fini, comme il y avait de
l'eau dans un pot à beurre, je m'en suis servi
pour laver le sang qui était après mes mains et
ma chemise... Ensuite, sans attendre le jour, je
suis sorti. Dans la matinée, j'ai vendu une partie des objets que j'avais pris. Après quoi, je
suis revenu à Vaugirard, où j'ai repassé mon
croissant. Le reste de la journée (comme vous
le savez, c'est le dimanche) s'est passé à boire
et à danser. Voilà la pure vérité, et vous pouvez m'en croire. »

Un peu plus tard, il demanda encore de
quoi manger. Il engloutissait tout ce qu'on lui
présentait. Ce cynisme déplut à Vidocq, qui
changea de langage :

« Est-il bien vrai que tu n'aies pas vingt ans ?

— Je ne les aurai qu'à la Saint-Jean prochaine.

— En ce cas, tu ne les auras jamais.
— Et pourquoi ?
— Parce que, d'ici là, tu seras raccourci !
— Raccourci ?...»

D'autres fois, Vidocq doit combattre. C'est
après une lutte au couteau qu'il parvient à
maîtriser Pierre-Prosper Guillaume, spécialiste
du crime. De ce monstre-là, inutile d'attendre
un mot de repentir. Le salut de son âme ? Il
ricane :

« Je n'ai jamais vu d'âme quitter un corps.
Et pourtant, j'ai bien regardé. Une fois, c'était
du côté d'Essonnes. Je m'étais introduit dans
un château. Sur le coup de minuit, je présume
que tout le monde dort. Je sors de ma
cachette. Je descends pour faire mon ravage.
D'abord, en traversant une première pièce, j'es-
coffie l'homme et la femme, dans le même lit,
et je m'y prends si bien que, dans les deux, il
n'y en a pas un qui se réveille pour donner
l'alarme à l'autre... Mais pas d'âme !... C'en est
deux de tués. Voilà qui est bon, et j'en descends encore cinq à la file, en un rien de
temps... Ah ! il n'y avait pas à s'amuser... »

Il raconte aussi qu'une de ses victimes, la
poitrine défoncée à coups de hache, faisait
entendre des gémissements.

« Qu'est-ce que je fais ? Je relève mon particulier, et je le pose sur son séant, le dos contre
un fauteuil. Je ferme toutes les portes. Je

reviens à mon homme. Je le prends sur mes genoux, après m'être assis dans le fauteuil, et je tire de ma poche une scie à voleur. Il ouvre les yeux, me regarde. C'est sa grâce qu'il me demandait. Il s'adressait bien !

« — Si tu as une âme, lui dis-je, c'est actuellement qu'elle va se montrer ! »

« Et le tirant par la tignasse, je lui penche la tête sur ma cuisse, et, de l'autre, je lui scie le cou... Durant l'opération, il criait comme un enragé, et, moi, je reluquais de tous côtés pour voir si son âme allait passer... Tout à coup, j'entends voltiger. C'est son âme !... Mais non, c'était un papillon !... Alors, je reprends ma scie, je me remets à la besogne, et, petit à petit, à mesure que j'avance, mon individu commence à tourner de l'œil... le râle diminue, ce n'est qu'un souffle. Sors donc ! âme de chien, sors donc ! je suis au poste ! je guette !... Mais je n'en ai pas vu la queue d'une : il n'y avait pas plus d'âme que de beurre sur la main ! »

En janvier 1826, environ 19 heures, pendant que sa femme, « l'une des plus belles de Paris », est au spectacle, le sieur Joseph, changeur au Palais-Royal, est attaqué par deux individus, qui le frappent à coups de poignard et lui donnent la « polenta » à sec. (Ils lui bourrent la bouche de farine pour l'empêcher de crier.) Ils emportent le contenu de la caisse : mille louis d'or.

Le changeur n'est pas mort. Quelques forces lui sont rendues, et il déclare qu'il a entendu un de ses agresseurs parler à l'autre en italien. La préfecture estime qu'il s'agit d'habitués des maisons de jeu du Palais-Royal. Elle fait également surveiller les étrangers qui demandent des visas de départ. En bref, rien n'aboutit, et Vidocq est chargé de l'affaire.

Huit jours plus tard, il arrête deux Italiens : Malagutti et Rata. Cependant, la préfecture ne juge pas qu'on puisse les retenir, les preuves semblant insuffisantes. Malagutti et Rata sont relâchés. Mais Vidocq, lui, les tient à l'œil. Désormais, deux agents, déguisés, suivent tous leurs pas. Au reste, il faut agir vite, car le changeur, qui conserve un reste de vie, mourra bientôt, et la confrontation sera impossible.

La filature permet de constater que les Italiens se rendent dans un endroit écarté de Charonne, dans une ruelle perdue, appelée la ruelle des Champs. Ils y déboutonnent leurs pantalons et s'accroupissent. Cette habitude paraît suspecte. Nouvelle arrestation, suivie d'un nouvel élargissement.

Ne voulant pas démordre, Vidocq fait appréhender les deux Italiens à l'octroi. Malgré le temps froid, ils portent leur chapeau sous le bras, comme un paquet lourd. Visite des chapeaux : ils sont emplis d'or (les mille louis volés au changeur). Malagutti et Rata expliquent qu'ils ont trouvé cet or « par hasard », en se baissant pour satisfaire un besoin. Que, dans cette position, l'un d'eux a aperçu le bout d'un mouchoir sortant de terre. Ils ont gratté, creusé... « Et voilà ! »

Le chef de la Sûreté arrive, visite les lieux, reconnaît les signes permettant de repérer la cachette, met la main sur deux mouchoirs aux initiales G. R. (Gaëtano Rata) et J. M. (Januario Malagutti), et emmène les deux Italiens à la préfecture, où ils persistent à se dire innocents. Ils vont être élargis encore, mais Vidocq a tout mis en œuvre pour la confrontation.

Quand le procureur ordonne d'introduire les Italiens, Vidocq sort derrière l'huissier et revient dans le cabinet du magistrat, non pas avec deux hommes, mais avec cinq... Il a choisi trois de ses agents, de la même taille que les Italiens, et les a habillés comme les agresseurs du changeur... Celui-ci est introduit à son tour. A six pas des personnes qu'on lui présente, il tressaille, s'arrête, considère l'un après l'autre les visages des cinq individus, et, fermement, désigne Rata et Malagutti.

En connaisseur, le procureur fait un signe d'intelligence et d'admiration à Vidocq.

Des affaires de cette espèce, il en figure une centaine dans l'histoire du chef de la Sûreté.

XI

LES GENTILSHOMMES

> La police, elle aussi, a ses
> champs de bataille.
>
> Vidocq

Que de fripons, se prévalant de titres de
noblesse, authentiques ou usurpés, finissent par
tomber de leur luxueuse voiture sur les bancs
de la cour d'assises ou de la correctionnelle !

Au musée du Louvre, Vidocq n'appréhen-
de-t-il pas le très noble Emile de Mallarmé,
comte de Roussillon, grand seigneur « spécia-
lisé », et dont les poches contiennent de quoi
garnir un étalage de bijouterie ?

Le comte de Sainte-Hélène opère en grand,
lui. Surgi en 1814, au début de la Restauration, il se fait recevoir par le roi et protéger
par le duc de Berry. Pendant les Cent-Jours, il
suit le souverain à Gand. Subitement, il revient
à Paris, et offre ses services à Davout, ministre
de la Guerre de Napoléon. Néanmoins, au

retour des Bourbons, après Waterloo, la faveur du comte de Sainte-Hélène semble grandir : Légion d'honneur, croix de Saint-Louis, des ordres étrangers, le grade de lieutenant-colonel, etc.

Trois années durant, le comte mène un train fou. D'où tire-t-il cet argent ? Et d'où sort ce « favori » ? La curiosité de Vidocq est sollicitée, parce que le personnage ne jouant pas à la Bourse, ne se livrant à aucune activité, ne possédant ni terres ni rentes, ne peut tirer les ressources de sa vie opulente que d'une industrie secrète.

Vidocq se met donc à regarder de près le « colonel », et la lumière se fait : il a devant lui un imposteur, un ancien forçat du nom de Coignard.

Coignard a connu le bagne pour avoir volé son bienfaiteur, le comte de Montausier, et aussi un usurier auquel il a subtilisé cent mille écus. Il passe pour avoir contracté deux ou trois mariages, mais on peut douter que ses unions aient été toutes légitimes. Evadé, il s'est glissé en Espagne, y a vécu de vols et d'escroqueries pendant la longue guerre napoléonienne (1808-1814). Il s'est emparé des papiers d'un M. de Sainte-Hélène, décédé, et est rentré en France avec l'armée en déroute, parlant très haut de ses services dans les rangs espagnols, donc contre l'Usurpateur, Napoléon. Il assure aussi qu'en Vendée il a servi avec les Blancs.

Autant de titres, il va sans dire, à la faveur des Bourbons.

Vidocq se dispose donc à mettre fin à l'imposture, mais la préfecture paralyse son zèle. Un favori du duc de Berry ! Un protégé du roi, du duc de Feltre (le ministre de la Guerre), du comte de Juigné, etc. ! Pas de scandale !

Sur le moment, Vidocq s'incline, mais il poursuit son enquête. Il en ressort que Coignard se fourvoie en abusant de ses différentes identités. Il arbore la Légion d'honneur en tant que Coignard, après avoir « maquillé » un document qui attribue la croix à M. de Coignaid. Il n'a jamais reçu, sous aucun de ses pseudonymes, la croix de l'ordre d'Alcantara. Toujours occupé de se couvrir, il se couvre trop, demande trop de papiers aux maires, aux notaires et aux préfets. Cet homme ne sait pas écrire correctement. Son style choque les autorités. En outre, il exagère. Il promet aux magistrats, officiers ministériels et officiers de l'état civil, auxquels il demande des pièces d'identité, de leur obtenir des croix de la Légion d'honneur, des grades, des places, grâce à son inépuisable crédit. Tant et si bien que le préfet de la Vendée attache le grelot à son tour.

Nouvelle résistance en haut lieu. Alors, pour vaincre cette inertie, Vidocq recherche un forçat libéré qui aurait connu Coignard au bagne.

Il en cueille un parmi les « surveillés », et celui-ci, Dorius, il le met en face du « comte ». Aucun doute pour Dorius comme pour le chef de la Sûreté : M. de Sainte-Hélène est sans conteste un galérien. Sur ce, Vidocq envoie Dorius chez le « colonel », qui feint de ne pas le reconnaître et le chasse, non sans mépris. Vidocq informe alors le général Despinoy, première autorité militaire de Paris, et lui recommande Dorius. Successivement, le général convoque M. de Sainte-Hélène. L'interrogatoire, commencé à midi, ne s'achève qu'à 22 heures. Démasqué, Coignard passe la nuit sur place, et obtient, le lendemain, de se transporter chez lui, afin d'y prendre des papiers propres à sa justification. Un officier et un gendarme l'accompagnent.

Chemin faisant, Coignard réussit à convaincre ses gardiens de son innocence. Arrivé chez lui, il fait apporter une bouteille de vin d'Alicante, que la comtesse de Sainte-Hélène aide les deux hommes à boire. Coignard déclare qu'il va changer de linge et recueillir ses papiers. L'officier acquiesce. Une heure plus tard, le forçat n'est pas revenu. Après avoir endossé un costume de domestique, il s'est enfui par un escalier dérobé.

Désormais, carte blanche à Vidocq, qui surveille la « bande », laquelle vient de commettre une série de vols considérables. Vidocq relève les traces de Coignard, réfugié chez un de ses

hommes, Lexcellent, rue des Morts. Au cours
d'une expédition, Lexcellent est arrêté et « se
met à table ». Tout se termine par une expédition, conduite par Vidocq lui-même, escorté
de son second, Fouché, d'une de ses maîtresses,
la belle Mme Gérard, et de huit agents.
(Mme Gérard est habillée en homme.) Coignard
est surpris, alors qu'il revient, à trois heures du
matin, au repaire de Lexcellent : en fait, un
arsenal de voleurs et de meurtriers. Il est suivi
de complices. Mais Fouché se précipite sur lui.
On se bat à coups de pistolet. Vidocq intervient, malgré une blessure reçue au bras, dans
cette bagarre, et lui-même empoigne l'imposteur, garrotté aussitôt.

A la même époque, les escrocs du type Coignard pullulent. L'un d'eux, Winter, reste dans
l'histoire criminelle en qualité d' « Anacréon des
bagnes », car il passait son temps à rimer des
chansons en argot :

> J'avais fait, par comblance,
> Gironde larguepé,
> Soiffant picton sans lance,
> Pivois non maquillé.
> Tirants, passe à la rousse,
> Attaches de gratousse,
> Cambriot galuché,
> Cheminant en bon drille,
> Un jour, à la Courtille,
> Je m'étais enganté.

En clair : « J'avais fait, de surcroît, une jolie maîtresse, qui buvait du vin sans eau, du vin non frelaté. Ayant bas et escarpins, beau jabot de dentelle, chapeau galonné, et cheminant en bon drille, un jour, à la Courtille, je m'en étais amouraché. »

Winter n'a pas vingt-six ans. Il se pavane dans un uniforme de colonel, et jamais le même. Il se dit fils du colonel Winter, neveu du général Lagrange, cousin germain du général Rapp, etc. Il fréquente chez des sénateurs, des ducs, des princes. Naturellement, il les dupe successivement, sans que la police puisse mettre un terme à ses méfaits, jusqu'à ce que Vidocq en soit chargé.

Le chef de la Sûreté commence par recueillir les noms des dames séduites par Winter. Il doit bien exister quelque jalouse ou rancunière... Justement, il en découvre une, en la personne d'une très grande dame, et se présente à elle sous l'aspect de l'aumônier du régiment dont Winter se dit être le colonel. Cette dame renvoie l'aumônier à sa rivale heureuse, une autre dame au nom illustre. A cette dernière, Vidocq se donne pour un ami de la famille du « jeune étourdi ». Il est chargé d'acquitter des dettes trop criardes. La dame, que le galant colonel-escroc vient de délester d'une somme importante, et qui semble se détacher d'elle, — la dame promet de ménager à son intéressant interlocuteur une entrevue avec le fameux séducteur, à condition qu'il commencera par elle le remboursement des sommes destinées par la famille aux créanciers. Aucune difficulté sur ce point, et, peu de jours après, Vidocq est informé que la dame et son amant dîneront à la « Galiote », boulevard du Temple, l'un des bons restaurants de l'époque.

C'est en commissionnaire que Vidocq se poste, non loin de l'entrée du restaurant. Winter survient, en colonel de hussards, la poitrine bardée de décorations, et suivi de deux domestiques (deux bandits de son espèce). Suivant l'usage, le commissionnaire s'empresse pour aider le cavalier à descendre et garder son cheval, et ceux de sa suite. Winter pose pied à terre, et Vidocq peut considérer la partie comme gagnée. Mais en même temps qu'il descend de sa monture, Winter, toujours poursuivi, par conséquent toujours aux aguets, regarde le commissionnaire d'un œil soupçonneux, remonte à cheval avec la dextérité de Franconi, l'écuyer célèbre, pique des deux et disparaît...

Vidocq est furieux, mais il reste en campagne, et, à très peu de jours de là, il empoigne Winter à l'entrée du café Hardi, établissement à la mode, boulevard des Italiens. Ce poète et « homme de lettres » (en argot, faussaire se traduit par « homme de lettres »), qui s'appelait réellement Louis-François-Auguste de Winter, écopa dix ans de réclusion, cinq ans de travaux forcés et la flétrissure (la lettre « F » marquée au fer sur la peau) pour faux.

Aux Tuileries, au temps de Louis XVIII, se signalait un autre imposteur, le « marquis » de Chambreuil. Vidocq l'appréhende à sa sortie du Pavillon de Flore. Chambreuil est chamarré, chargé de cordons, de décorations, de broderies. L'agent qui accompagne Vidocq est également formel.

« Oui, c'est Chambreuil. Je l'ai bien connu au bagne de Toulon. »

Arrêté par Vidocq, le « marquis » joue la surprise :

« Que veulent donc ces drôles ? Je vous ordonne de vous retirer.

— Volontiers, répond Vidocq, mais avec vous, car vous allez nous suivre jusqu'à la préfecture.

— A-t-on idée de pareille audace ? Passez votre chemin, misérables ! ou je vais vous faire châtier de la belle manière. Savez-vous bien qui je suis ?

— Sans doute, et c'est pour cette raison que je vous enjoins de nous suivre.

— Pour le coup, c'est trop fort ! Parler ainsi au chef des haras, au directeur de la police du château ! Vous paierez cher cet excès d'insolence et de témérité !

— C'est ce que nous verrons ! En attendant,

vous daignerez peut-être monter dans ce fiacre sans plus de cérémonie ? »

Et Chambreuil n'obtempérant pas, Vidocq le soulève comme une plume et le jette dans le fiacre.

Devant les magistrats, Chambreuil nie énergiquement, et soutient son rôle avec une superbe rare. Manifestement il va être relâché. Mais Vidocq tient bon :

« C'est un imposteur ! A l'armée d'Italie, il se consacrait à l'imitation des signatures des fournisseurs aux armées. Trois ans de travaux forcés. Il s'évade. A Paris, il émet de faux billets. Nouvelle peine. Il s'évade du bagne de Brest. On le reprend à Paris. Il passe onze ans à Toulon... On l'extrait du bagne, dans les derniers mois de l'Empire, pour former à Toulon une troupe d'agitateurs... Il se livre à des escroqueries, est fourré en prison, à Embrun... Le duc d'Angoulême l'a libéré, hélas !... »

Vidocq finit par obtenir un mandat de perquisition. La récolte est excellente : une masse de faux papiers, des réserves de papier officiel : « Haras de France », « Police du Roi », « Ministère de la Guerre », des brevets, des diplômes, des états de services, et... la correspondance que l'imposteur entretenait avec les ministres, les membres de la famille royale...

XII

ARRESTATIONS SINGULIÈRES

> Son nom seul glaçait de terreur les plus redoutables bandits.
>
> A. CHENU

PRÉSENCE d'esprit, ruse, adresse, diplomatie, effronterie, tout le sert.

Depuis des années, la police recherche un receleur fameux et ses moyens d'écoulement des objets volés. Vidocq commence par découvrir la demeure, plus exactement le repaire, du receleur, puis l'homme lui-même. Il l'attend à proximité. Quand l'autre sort, il l'aborde en l'appelant d'un nom quelconque. Le receleur, d'abord troublé, se reprend. Ce n'est pas à lui qu'on en veut. Il déclare donc tranquillement à Vidocq qu'il se trompe.

« Eh ! non, riposte Vidocq, vous êtes bien l'homme dont j'ai prononcé le nom.

— Mais je vous prouverai bien le contraire.

— Soit, à condition de m'accompagner pour cette formalité au corps de garde voisin. »

Aussitôt rendus, Vidocq invite le receleur à exhiber ses papiers. Pas de papiers ! Donc, la fouille ! Jolie récolte : trois montres en or, vingt-cinq double-napoléons serrés dans un mouchoir, etc.

Vidocq prend le mouchoir et ordonne de garder l'homme, les montres, l'or, et le reste... Quelques minutes après, il est chez la femme du receleur. Elle n'est pas seule, mais il la prend à part et lui annonce que son mari vient d'être arrêté. Il montre le mouchoir... La femme s'affole.

« Quelle histoire !

— Craignant d'avoir été trahi, il m'a envoyé près de vous pour enlever au plus vite... tout ce qui peut... le compromettre ! »

Elle aussi est prise au piège. Elle supplie Vidocq d'aller chercher trois fiacres.

« On transportera dedans, d'urgence, les objets les plus précieux ! »

Et lui, d'exécuter. D'abord, ses instructions à la garde. Puis, des fiacres :

« Un, deux, trois !... J'ai besoin de vous ! »

Devant le repaire des receleurs, en un instant, les voitures sont chargées. Elles commencent à rouler... Pas longtemps. La garde surgit et capture le tout, y compris la receleuse.

« Vous vous expliquerez, ainsi que votre mari, devant la cour d'assises ! »

Dans les dernières semaines de 1812, Vidocq anéantit une bande de vingt-deux criminels, avec leur chef nominal, Delzaive aîné. Le chef effectif, Delzaive jeune, a échappé aux filets tendus par le chef de la Sûreté. Pas pour long-temps !

Le 31 décembre 1812, Vidocq se dirige vers la rue des Grésillons (quartier du faubourg Saint-Honoré), où demeure une blanchisseuse qui a donné asile aux frères Delzaive. Vidocq se livre à ce calcul : si le criminel n'y est pas hébergé, demain, 1er janvier, il est susceptible d'y venir, afin de « souhaiter la bonne année » à cette bienfaitrice. Escorté de trois inspecteurs, il commence sa faction. A minuit, le froid aug-mente. Les inspecteurs déclarent qu'ils en ont assez. Au reste, ils ont été prêtés au chef de la Sûreté, pour la circonstance, et il ne peut pas les retenir. Ils partent donc réveillonner.

Resté seul, Vidocq s'éloigne un peu de son poste, pénètre dans un café, avale quelques ver-res de vin chaud, aperçoit dans une cour voi-sine un tas de fumier, y creuse un trou, s'y réfugie...

A cinq heures, la porte de la maison surveil-lée s'ouvre. Une femme sort. Vidocq s'élance aussitôt, franchit le seuil de la demeure, pénè-tre dans une cour... Là, l'idée lui vient que Delzaive est peut-être tout bonnement couché avec la blanchisseuse. Pour s'en assurer, il siffle à la manière des cochers, car c'est le signal de cette bande. Tout de suite, la voix de Delzaive se fait entendre.

« Qui est là ?

— C'est le Chauffeur qui te demande.

— Dans un moment, je suis à toi.

— Dépêche-toi, et viens me joindre chez le « rogomiste » du coin. »

Alors, feignant de sortir, et ayant repoussé avec bruit la porte de la maison, le soi-disant Chauffeur, intime de Delzaive, court se cacher sous un escalier. Le chef de la bande descend rapidement. Dès qu'il est dans la cour, Vidocq sort de sa cachette, le saisit au collet et lui met un pistolet sur la poitrine.

« Tu es mon prisonnier. Suis-moi, et songe qu'au moindre geste je te casse une épaule. »

Un fiacre... mais Vidocq pense qu'il est trop tôt pour se transporter à la préfecture. D'ailleurs, il a faim. Il fait donc arrêter la voiture devant un restaurant. Delzaive, devenu doux comme un agneau, monte le premier. « A table ! » Mais Vidocq veut déjeuner tranquillement. Il prie donc son convive de lui permettre de l'attacher. « A ma manière ! » précise-t-il. A l'aide de deux serviettes, il lui lie les jambes aux pieds de la chaise, à trois ou quatre pouces du parquet, et lui laisse les bras libres. (Si le criminel tentait de se mettre debout, il se casserait la tête.)

Maintenant, Vidocq déjeune avec beaucoup

d'appétit, et Delzaive l'imite. Il boit bien aussi, et se confesse... Un peu plus tard, le haut personnel de la préfecture est réuni autour du célèbre chef de division Henry, quand Vidocq se présente :

« J'ai l'honneur de vous souhaiter la bonne et heureuse année, accompagné du fameux Delzaive !

— Voilà ce qu'on appelle des étrennes ! » répond joyeusement Henry.

A quelque onze mois de là, la préfecture retentit d'imprécations contre Vidocq. Ce sont les « eunuques du sérail » (surnom donné par Vidocq à ses rivaux impuissants) qui se font réprimander parce qu'ils ne parviennent pas à arrêter Fossard, criminel extraordinaire.

« Si Vidocq avait été chargé de cette affaire, dit le préfet, elle serait classée depuis longtemps ! »

D'où la fureur des officiers de paix, entre autres. A l'un d'eux, Vidocq répond ironiquement :

« Pour le moment, je n'ai pas le temps de m'occuper de Fossard. C'est une capture que je réserve pour le 1er janvier, afin de l'offrir en étrennes à M. le préfet... »

Son enquête lui apprend que Fossard et sa maîtresse ont vécu dans le quartier des Halles. Il réussit à découvrir la maison et se donne, auprès d'une amie du couple, pour un amant abandonné par la compagne du bandit. Malheureusement, Fossard et sa belle ont déguerpi, sans laisser d'adresse. Vidocq poursuit son enquête, interroge vainement propriétaire et déménageurs, et se rabat sur les cochers et commissionnaires, sans se faire connaître, et toujours sous le masque d'un vieux monsieur abandonné par sa bien-aimée. Il aboutit devant un hôtel dont le propriétaire tient café, paie à boire au commissionnaire, et lui dit :

« Mon ami, j'ai remis à la police un billet de cinq cents francs, destiné à récompenser celui qui me ferait retrouver ma femme. C'est à vous qu'il appartient. Aussi vais-je vous donner une petite lettre pour aller le toucher. »

En fait, il s'agit de faire garder à vue cet homme, pendant un jour ou deux, afin qu'il tienne sa langue.

Pendant ce temps, Vidocq se travestit en charbonnier, étudie le terrain, prend ses mesures, et s'installe chez le propriétaire. A celui-ci et à sa femme, épouvantés, il explique que leur maison abrite un assassin, qui les égorgera, la nuit prochaine ou la suivante, pour les voler. Les deux commerçants promettent à Vidocq de le seconder. Ils lui ouvrent un petit cabinet d'où il pourra surveiller les allées et venues de Fossard. C'est le 31 décembre, et il fait froid, dans ce réduit. Un agent est à l'extérieur. S'il voit sortir Fossard, il l'arrêtera. Justement, Fos-

sard sort, mais l'agent ne l'appréhende pas.
L'autre a eu peur, et Fossard est armé jusqu'aux dents.

A onze heures du soir, Fossard rentre. Il
monte l'escalier en fredonnant. Donc, il est
sans défiance. Vidocq sort de sa retraite,
observe les croisées. Plus de lumière !

« Vite ! le commissaire et les gendarmes ! »

Ils attendaient au corps de garde proche. Ils
arrivent sans bruit. On délibère. Les gendarmes
hésitent.

« Fossard résistera... On ne tient pas à y laisser notre peau !... »

Vidocq réfléchit. Il devra agir presque seul,
en adoptant une solution qui tranquillise les
gendarmes. Puisque la maîtresse du criminel
descend de très bonne heure, il profitera de
son absence pour tomber à l'improviste sur
Fossard, grâce à la clef enlevée à la femme.
(Celle-ci se fait appeler Mme Hazard.)

« Et si, par extraordinaire, Fossard sortait le
premier ? »

Ah ! ces gendarmes ! Il faut donc, et à tout
prix, pense Vidocq, que ce soit la maîtresse de
Fossard qui sorte.

Les marchands de vin ont un neveu, Louis.
Dix ans et intelligent. Vidocq l'appelle, le
prend par les bras, le serre entre ses genoux.
(Vidocq assis, l'enfant debout.)

« Ecoute bien, mon petit. Comprends bien,
et répète. »

Le gosse apprend bien sa leçon. Il est ému et se sent de l'importance. Oui, il ira frapper à la porte de « Mme Hazard » et la priera de lui prêter de l'eau de Cologne pour sa tante, censée s'être trouvée mal... En chemise de nuit, il monte courageusement jusqu'à l'appartement des Fossard. A la porte, il tire le cordon de la sonnette, Vidocq et ses hommes sont derrière lui.

« Qui est là ?

— C'est moi, madame Hazard. C'est Louis. Je viens vous prier... de me donner... un peu d'eau de Cologne... pour ma tante, qui se meurt. »

La porte s'ouvre. Deux gendarmes empoignent la femme, rendue muette à l'aide d'une serviette. Vidocq s'élance et garrotte Fossard dans son lit. Le bandit n'a pas eu le temps de prononcer un mot, d'esquisser un geste.

Quelques heures plus tard, ce 1er janvier 1814, Vidocq offrait Fossard au baron Pasquier, le préfet, en guise d'étrennes. Comme il l'avait promis.

Pinchon est un banqueroutier frauduleux, condamné par contumace à dix ans de travaux forcés et à une heure de carcan. Vidocq n'est pas long à l'atteindre. Mais, en artiste, il veut donner un tour original à l'arrestation. Déguisé en courrier de diligence, il s'introduit dans le refuge du condamné.

« Je connais votre affaire, lui dit-il. Je sais que vous êtes contumax, et je viens vous offrir de vous conduire à Bruxelles. »

Un marché se conclut, Vidocq jouant son rôle jusqu'au bout, et il est convenu que, le lendemain, on viendra prendre Pinchon de sa part pour le conduire au bureau de la diligence.

Le lendemain, un des lieutenants de Vidocq se présente chez Pinchon, travesti en surnuméraire aux diligences. Pinchon l'invite à déjeuner. Goury, le lieutenant, a garde de refuser. Après le repas, à son tour, il invite Pinchon à prendre le café. Ensuite, au lieu de mener le condamné à la diligence, il le conduit jusqu'au bureau de Vidocq, petite rue Sainte-Anne. Dans la personne du chef de la Sûreté (mais il ignore qu'il est dans les locaux de la Sûreté), Pinchon reconnaît son courrier de la veille.

« Eh bien, lui dit-il, sommes-nous prêts ?

— Tout de suite ! » répond le « général ».

En même temps, il adresse un signe à Goury, qui sort et revient avec deux agents, auxquels Vidocq dit en souriant :

« Tenez, messieurs, ayez la bonté de conduire monsieur à sa destination ! »

A la fin de 1814, Sablin, autre criminel, jouit de la grande vedette... Depuis trois ans, la police est incapable de le dénicher. Le dossier est transmis au chef de la Sûreté. Au reste,

Sablin l'a dit : il n'y a que Vidocq qui puisse le capturer. Mais il se cache bien !

Néanmoins, Vidocq finit par apprendre que Sablin s'est transporté depuis peu à Saint-Cloud. Immédiatement, il se met en route, et arrive, à la tombée de la nuit, par un temps affreux. Mais il ne connaît pas l'adresse de Sablin, et découvrir rapidement le logis d'un homme installé dans un lieu depuis huit jours seulement, c'est un tour de force. N'importe, Vidocq l'accomplit. A la pointe du jour, et sous une pluie torrentielle, Vidocq est devant la porte de la maison du « grinche », un gaillard haut et puissant comme une tour. Un agent l'accompagne. Le jour s'est levé. Quelqu'un sort de la maison. Vidocq s'y introduit avant que la porte ne se referme. Il entend des pas. Une femme descend, aperçoit Vidocq, jette un cri et remonte aussi vite qu'elle peut. Mais elle ne peut pas aller bien vite (on verra pourquoi) et Vidocq pénètre avec elle dans l'appartement au moment qu'elle crie : « Voilà Vidocq ! » Sablin encore couché et à moitié réveillé a déjà les menottes.

Mais la femme continue de crier.

« Qu'avez-vous donc ?

— Ne voyez-vous pas qu'elle est en mal d'enfant ? répond Sablin. Toute la nuit, il en a été de même. Elle allait même chez la sage-femme lorsque vous vous êtes présenté. »

Et la femme de crier de plus belle !

Vidocq ne peut pas aller chercher une sage-femme et laisser Sablin, qui a peut-être des complices à proximité, à la garde d'un seul agent. D'ailleurs, le temps presse. La sage-femme arriverait trop tard.

« On assure que Louis XIV accoucha Mlle de la Vallière, dit Vidocq. Moi, je vous certifie que je vais accoucher Mme Sablin. »

Il met habit bas, retrousse ses manches, se lave les mains et... aide la femme à donner le jour, en moins de vingt-cinq minutes, à un gros garçon. Il fait ensuite la toilette de l'enfant, le place à côté de sa mère, et se préoccupe de faire enregistrer cette naissance. Or, la maison de Sablin est contiguë à la mairie. Sablin est mis hors d'état de s'enfuir. Vidocq et l'agent l'accompagnent à la mairie, et le ramènent à la maison. Ici, la maman s'avise que le poupon doit être baptisé. Soit! Elle prie Vidocq d'en être le parrain. Une voisine sera la marraine. Soit encore! Vidocq paie de sa poche les frais de la cérémonie et le déjeuner dans la chambre de l'accouchée. Finalement, Sablin dit adieu à sa femme... L'opération est terminée.

Un matin, on annonce au chef de la Sûreté le concierge de la prison de Sainte-Pélagie, Bault. Vidocq rêve un instant. Bault conduisait la chaîne qui l'a mené au bagne!... Depuis, Bault a changé de langage.

« Bonjour, général !

— Bonjour, mon cher gouverneur ! Pourrait-on savoir ce qui me procure l'honneur de votre visite ?

— Un grand malheur, mon cher général, et qui ne peut être réparé que par votre habileté. »

Bault raconte alors l'histoire de Lastigue de Bassaba, détenu pour plus de cent mille francs de dettes. Vidocq connaît ce chevalier d'industrie qui s'est évadé et qu'il faut capturer derechef. Bault offre, sans doute au nom des créanciers, de couvrir les frais de l'opération. Car Lastigue ne viendra pas trouver le chef de la Sûreté. Il va falloir s'agiter, mettre en campagne la brigade, et vraisemblablement une femme : Lastigue est un amateur...

Aussitôt, Vidocq fait circuler, de bouche à oreille, dans les maisons de jeu et de plaisir, qu'une forte récompense sera accordée à qui signalera l'adresse de Lastigue. Un dénonciateur, ami intime de Lastigue, se présente. Il indique le lieu, le jour et l'heure où l'évadé pourra être repris.

Ce jour-là, dans la rue des Juifs, un commissaire et des agents attendent dans un fiacre. Vidocq, déguisé en cocher de grande maison, poudré, frisé, magnifiquement galonné, franchit le seuil de la porte cochère. Le portier l'arrête.

« M. Simonneau ? demande Vidocq.

— Il n'y est pas.

— Je sais qu'il est en compagnie, et je ne veux pas le déranger. J'ai simplement à remettre une lettre à M. Lastigue.

— Donnez-la-moi !

— Je ne le puis. Madame m'a expressément recommandé...

— Et moi, j'ai ordre formel de ne laisser monter personne !

— Il faut pourtant que j'accomplisse ma mission... (Il se gratte l'oreille.) Je laisserais bien le mot d'écrit, si je ne craignais de mécontenter Mme la comtesse !...

— Une comtesse ! C'est sans doute quelque amourette ?

— Ah ! mon Dieu, pas davantage !

— Alors, allez !... au second, la porte à gauche. »

Vidocq monte, sonne, et une bonne vient ouvrir. Il la prend par le bras, gentiment, mais fermement, la laisse sur le palier, entre, repousse la porte, met la clef dans sa poche, et fait irruption dans la salle à manger...

« Vidocq ! »

Tous les convives ont crié ce nom en même temps.

« Oui, c'est Vidocq ! » leur répond le chef de la Sûreté.

Sans les perdre de vue, il va à une fenêtre, et jette la clef au commissaire, qui n'a plus qu'à monter avec ses hommes...

XIII

L'HEURE DE LA COLÈRE

> Son œil fixe, hardi, scruta-
> teur, qui semble à l'affût des
> idées qui naissent dans l'âme
> d'autrui, respire une détermi-
> nation prompte, une résolu-
> tion inébranlable, une audace
> sans bornes.
>
>   ***

Tout le monde, en France, parle de Vidocq. Les uns pour le louer, les autres pour en médire. La haute société le choie, sollicite ses services, l'invite aux tables les plus recherchées.

Tel est le cas du duc d'Avaray, qui se dit son grand obligé. Le cas du duc d'Aumont, autre pair de France, qui (comme le comte de Perregaux et bien d'autres) entretient une correspondance avec lui. Le cas de la duchesse de Duras, qui écrit au « général » : « Je suis, mon-sieur, avec une considération distinguée, votre très humble et très obéissante servante. » Le cas de la duchesse de Fitz-James, qui prie le chef de la Sûreté (qu'elle appelle par ses pseudonymes fameux : M. Jules, M. de Saint-Estève, etc.) d'agir en faveur de ses protégés. Le cas du comte Lemercier, pair de France, qui sollicite (c'est le terme employé) le dévouement de Vidocq. Le cas de la comtesse d'Ambrugeac, et d'un colonel, son parent. Cette comtesse, à l'instar de tant d'autres, admire Vidocq. Ainsi que la marquise Delphine S. de T., qui lui mande :

« J'ai tout à fait besoin de vous, monsieur, et le plus tôt possible. J'ai des conseils à vous demander, et peut-être quelque chose de plus... Si vous pouvez venir dîner à Montrouge, où je suis encore, et seule, vous me feriez plaisir. Si vous ne le pouvez pas, je serai chez vous vers neuf heures du soir. Trouvez-vous-y, je vous prie... Vous connaissez, j'espère, les sentiments d'estime que vous m'avez inspirés. »

Cette intimité manifeste se retrouve dans cette autre lettre, si éloquente, de la marquise :

« Je suis accoutumée, monsieur, à votre bienveillance, surtout à votre bon et excellent intérêt pour nous. Vous connaissez aussi combien je vous rends d'attachement et de reconnaissance... Venez, cette fois, et ne dites pas *non...*»

Mais, quand tant de personnalités le prisent, la politique le déchire. Dans les dernières années de la Restauration, l'opposition attaque vigoureusement, et le régime et le gouverne-

ment. Pour cible, en ce qui concerne le gouvernement, il ne manque pas de têtes de
Turcs : Villèle, etc. En ce qui concerne le
régime, c'est à la police qu'on s'en prend.
Sous-entendu : à la police politique. Seulement,
cette police n'a pas de chef, ou, du moins, son
chef ne jouit d'aucune notoriété. On attaque
bien Delavau le préfet, et Franchet (d'Esperey),
le directeur de la police au ministère de l'Intérieur, mais cela ne suffit pas. A la recherche
d'un nom qui impressionne les foules, on n'hésite pas à s'emparer de celui de Vidocq. Ainsi
le chef de la Sûreté devient-il la cible com-
mode.

Delavau, inquiet pour sa propre position, se
détache progressivement de Vidocq, qu'il portait aux nues naguère encore. D'ailleurs, à côté
de lui, a surgi un petit jeune homme nommé
Duplessis, fortement protégé et ambitieux de
gouverner, à la préfecture... Il a engrossé une
jeune veuve, qu'il doit forcément épouser, et, à
cette occasion, on augmente et ses fonctions et
ses traitements. Enfin, la croix de l'ordre de
Charles III d'Espagne lui vaut d'être appelé
« M. le Chevalier Du Plessis ».

Le chevalier persuade au préfet qu'il est
urgent de sacrifier Vidocq. Il emploie lui-
même, à son égard, un ton que le chef de la
Sûreté ne consent pas à entendre deux fois.
La colère le saisit, et il envoie promener le
préfet et son favori. C'est le 20 juin 1827 qu'il

adresse cette lettre de démission à Duplessis, préfet *de facto* :

« Depuis dix-huit ans, je sers la police avec distinction. Je n'ai jamais reçu un seul reproche de vos prédécesseurs. Je dois donc penser n'en avoir pas mérité. Depuis votre nomination à la deuxième division, voilà la deuxième fois que vous me faites l'honneur de m'en adresser en vous plaignant des agents. Suis-je le maître de les contenir hors du bureau ? Non. Pour vous éviter, monsieur, la peine de m'en adresser de semblables à l'avenir, et à moi le désagrément de les recevoir, j'ai l'honneur de vous prier de vouloir bien recevoir ma démission.

« J'ai l'honneur, etc. (signé) : Vidocq. »

Les plaintes relatives aux agents de Vidocq ne concernaient pas leur conduite en ville, mais leur refus d'assister aux offices religieux. Seul l'un d'eux, Coco-Lacour, joua le jeu et fréquenta assidûment les églises. Les autres conservèrent leur indépendance. Vidocq s'est expliqué sur cela.

« En 1827, la direction particulière imprimée aux administrations par l'autorité d'alors fit naître des difficultés imprévues dans le service dont j'étais chargé. Je pensai ne pouvoir assujettir les agents employés sous mes ordres à des habitudes incompatibles avec leur caractère et leur vie tout entière... »

La démission de Vidocq n'est pas rendue publique. La presse dit simplement que, le 21 juin, à midi, le commissaire de police du Palais de justice s'est rendu chez Vidocq, et lui a déclaré que, d'après l'ordre du préfet de police, il était remplacé par le sieur Lacour. Aussitôt Vidocq est parti pour sa maison de campagne.

Le lendemain, 23 juin, on lit encore dans la presse :

« La retraite du chef de la police de Sûreté a déjà donné lieu à beaucoup de conjectures. D'après des renseignements dignes de foi, il paraît que cette mutation doit être attribuée surtout à un refroidissement de zèle et d'activité de la part de Vidocq, qui, parvenu à un certain état d'opulence, désirait lui-même, depuis quelque temps, d'être délivré de ses fonctions.

« S'il faut en croire des bruits très incertains, Vidocq, en se retirant, aurait obtenu, non pas une pension de retraite, mais des lettres de grâce qui ne devraient pas tarder à être entérinées. Quoi qu'il en soit, il est aussitôt parti, ainsi que nous l'avons annoncé, pour sa maison de campagne de Saint-Mandé, dans un riche tilbury, qui brûlait le pavé. Demain, peut-être, il y sera déjà assiégé par les libraires. Heureux celui qui publierait les *Mémoires de Vidocq !* »

Vidocq obtient, non pas des lettres de grâce (il les a reçues en 1818), non pas une pension de retraite, mais une indemnité de trois mille francs (environ neuf cent mille francs de notre époque).

Sur ce, paraît, chez les marchands de nouveautés, une mince brochure intitulée : *Epître à M. Vidocq de Saint-Jules sur sa disgrâce...*

Estimable Vidocq, grand patron des mouchards,
Zélé restaurateur du premier des beaux-arts,
Vieux soldat illustré par plus d'une campagne,
Qui fus toujours le même, à Paris comme au bagne,
Toi dont le nom célèbre a volé jusqu'aux cieux,
....
Faut-il leur rappeler tes titres à la gloire,
Leur dire tous les pas qui, pour eux médités,
Assurèrent leur calme et leurs sécurités;
A tous événements ta garde-robe prête,
L'habit changé vingt fois durant un jour de fête,
....
Dirai-je ta poitrine à dessein décorée
D'ordres et de crachats, de rubans chamarrée,
Et ton front dérobé sous des plumes de coq,
Et ton nom russe en « off », qui remplaçait Vidocq ?
Dirai-je ta souplesse et ton intelligence ?
....
Et mieux que Delavau, ce préfet si vanté,
Travailler pour le bien de la société.
....
Sur les cœurs, cependant, tu gardes quelque empire,
Plus d'un grand est chez toi venu se faire écrire,
Et de ton excellence, exaltant les hauts faits,
Plus d'un auteur t'élève au-dessus des préfets...

Une vingtaine de pages d'alexandrins de cette trempe...

« Un jour que je traversais la place Maubert, raconte Saint-Edme, je vis une troupe de polissons en guenilles qui poursuivaient une vieille chiffonnière ivre. Elle monta sur une borne, et, de toute la force de ses poumons, elle leur cria : *Vidocq a été mis à pied; c'est M. Coco-Lacour qu'est maître de tout.*

« Je cherchai vainement à savoir quel était cet heureux successeur du grand Vidocq. Tout ce que j'appris, c'est qu'en effet Coco-Lacour était *maître de tout*, comme le disait la chiffonnière, c'est-à-dire qu'il était chargé de veiller à la sûreté de Paris. »

Le maître de tout... Tel était Vidocq dans l'esprit populaire. Quel chemin parcouru depuis la condamnation prononcée par le tribunal criminel de Douai !

Il est, entre autres, encore un trait qui caractérise fortement le prestige de Vidocq dans l'âme de la foule, à cette époque.

A quelques semaines de la démission de Vidocq, un nommé Cardonnel, marchand de cresson, est accusé de vagabondage, arrêté, incarcéré, puis jugé. Le président du tribunal lui demande de qui il est connu, de qui il peut se faire réclamer. A quoi le brave homme répond, avec une certaine fierté courroucée :

« Je n'ai besoin d'être réclamé de personne : je suis connu de M. Vidocq ! »

TROISIÈME PARTIE

LE CHÂTELAIN DE SAINT-MANDÉ

> ... la bataille horrible, incessante, que la médiocrité livre
> à l'homme supérieur.
>
> BALZAC

XIV

LE PÈRE MADELEINE

> Le temps aussi est une va-
> leur, et je n'aime pas à le dis-
> siper.
>
> VIDOCQ

La presse l'avait pressenti : ses Mémoires sont la première tâche à quoi s'attelle Vidocq, au lendemain de sa démission.

Un éditeur, Tenon, a payé un bon prix le manuscrit de ces Mémoires : vingt-quatre mille francs (sept millions deux cent mille francs de notre monnaie), dont les cinq sixièmes à la signature du contrat. Vidocq ne rédige pas complètement. Il fournit des notes, des documents, mille papiers divers. L'éditeur recrute un « teinturier », qui s'empare des textes préparés par le ci-devant chef de la Sûreté, les triture, les dénature, les augmente, et produit un premier volume contre lequel Vidocq proteste vigoureusement. L'éditeur choisit alors un

autre « teinturier », flibustier du même genre, et
dont Vidocq n'est pas plus content. Deux volumes étaient prévus : l'éditeur en fait fabriquer
trois, puis quatre, le tout empli d'inventions et
de verbiages totalement étrangers à la vie et
aux intentions de Vidocq, qui engage un procès contre Tenon. Celui-ci fait fortune, néanmoins. Les *Mémoires de Vidocq* connaissent un
succès européen. On les traduit, on les passe
dans la presse, on les adapte pour le théâtre
(en France, et, au moins, en Angleterre). Ils
sont aussi démarqués. Le succès en est si constant, que Vidocq, à son tour, l'exploite à fond.
Des dizaines de petits bouquins de colportage
sont imprimés. Ils racontent la vie de Vidocq,
ses malheurs, ses prouesses, les arrestations célèbres auxquelles il a procédé. Il semble que,
dans l'espace d'une année, avec cette littérature,
Vidocq ait gagné une douzaine de nos millions.

Ses ennemis aussi en gagnèrent quelques-uns.
Il parut, dans le même temps, de gros pam-
phlets, les *Mémoires d'un forçat ou Vidocq
dévoilé*, etc. Le dernier « teinturier » de ses propres Mémoires conserva suffisamment de documents, subtilisés à Vidocq, pour composer deux
autres volumes, qu'il publia sous le titre de
Supplément aux Mémoires.

J'ai dégagé ce qui était à la fois authentique,
essentiel et contrôlable, dans ce fatras, quand
j'ai publié *Les Vrais Mémoires de Vidocq*. Mal-

gré cela, il faut déplorer que Vidocq ait écrit ses Mémoires trop tôt. En 1827, il lui restait trente années à vivre, trente années plus riches en événements, déboires, exploits, succès, procès... que les cinquante premières. Il ne pouvait rien dire sur sa vie privée, et, lié par le secret professionnel, il n'a pas rendu publiques les plus intéressantes des grandes affaires de police réglées par lui.

A Saint-Mandé, Vidocq fait figure de châtelain. On l'appelle même « le suzerain de Saint-Mandé ». En réalité, il a fait l'acquisition de terrains, situés entre le cours de Vincennes et la route de Lagny. Ici s'est édifiée, dès février 1826, une confortable maison de campagne, telle que Vidocq la désirait. Successivement, il a fait construire des ateliers. Car, au lendemain de sa démission, il ne songe pas au repos. Il continue de s'occuper d'affaires financières, de remplacements militaires, et les ateliers sont destinés à la fabrication du papier et du carton. A côté des apprentissages littéraires de Vidocq, les « souffrances de l'inventeur », pour parler comme Balzac.

Ses activités de chef de la Sûreté ont appris à Vidocq combien de faux se commettent chaque jour, et à quel point le papier — le papier timbré même — se prêtait à ces faux. On lavait aisément, à cette époque, les feuilles de papier timbré et on les remettait en service.

Vidocq méditait donc de fabriquer un papier
« infalsifiable ».

A Saint-Mandé, il se met à la tâche, et
adjoint à son industrie la fabrication d'un carton, puis d'un autre papier, et encore d'un carton spécial. Pour main-d'œuvre, il ne veut que
celle d'anciens forçats, de condamnés libérés,
impuissants à gagner leur pain, puisqu'on les
repousse partout où ils se présentent, et que le
sort condamne ainsi à redevenir voleurs pour
manger à leur faim... ou à peu près. Vidocq,
qui a tant lutté et tant souffert après chacune
de ses évasions, entend prouver à la société
égoïste et aveuglée par ses préjugés, que de tels
hommes sont capables de se comporter plus
honnêtement que quantité de gens réputés honnêtes.

Cette leçon de Vidocq a été mieux retenue
par Hugo que par Balzac. Il en est sorti le
père Madeleine des *Misérables*... « C'était un
homme d'environ cinquante ans, qui avait l'air
préoccupé et qui était bon... » Vidocq avait cin-
quante-deux ans. « Le père Madeleine employait
tout le monde. Il n'exigeait qu'une chose : soyez
honnête homme ! » Lui aussi était l'inventeur
d'un procédé industriel. « Les produits du nouveau procédé inventé figurèrent à l'exposition
de l'industrie... » Comme ceux de Vidocq.

Ces malheureux qu'il sauve, Vidocq les vante
et les vantera toujours.

« J'en citerais plusieurs à qui je n'aurais pas hésité à confier des sommes considérables sans en exiger de reçu, sans même les compter (...) J'ai vu, parmi les notaires, parmi les agents de change, parmi les banquiers, des débiteurs infidèles, accepter presque gaiement l'infamie dont ils s'étaient couverts. J'ai vu un de mes subordonnés, forçat libéré, se brûler la cervelle, parce qu'il avait eu le malheur de perdre au jeu la somme de cinq cents francs dont il n'était que le dépositaire. Consignerait-on beaucoup de pareils suicides dans les annales de la Bourse ? Et pourtant !... »

Néanmoins, Vidocq éprouve des tracas, des déboires, du fait de ses inventions : on le pille, on le plagie. Il en subit d'autres dans l'exercice courant de son industrie et de son commerce. Parmi tant d'autres, un chroniqueur qui l'a beaucoup connu en était témoin :

« Les détaillants de Paris, auxquels il fit offrir ses produits, quand il eut des produits, prétendirent les payer la moitié ou même le quart de ceux des autres manufacturiers, sous prétexte qu'ils avaient été confectionnés par des forçats, et par conséquent, payés à coups de bâton.

« ... Enfin les indigènes de Saint-Mandé ne valent ni plus ni moins que toute la banlieue de Paris, laquelle ne vaut pas cher, ainsi que chacun sait. A peine les ouvriers de Vidocq

furent-ils installés, qu'à tort ou à raison on
porta à leur compte tous les méfaits commis
dans la commune, y compris les *picorées* des
visiteurs parisiens. De quoi que ce soit que qui
que ce fût se plaignît, un chœur de commères
des deux sexes répondait invariablement : « C'est
la bande à Vidocq ! »

« La noblesse du pays, les hobereaux émi-
grés des rues Saint-Denis, Mauconseil et
Saint-Martin, tous ces anciens marchands à
fausses mesures et à faux poids, tous ces
anciens vendeurs de vins frelatés, de veaux
mort-nés, de denrées avariées et insalubres, plus
quelques femmes entretenues par des croupiers
de la Bourse, jetèrent les hauts cris contre
Vidocq et ses pauvres ouvriers, que, par habitude, on continuait d'appeler sa bande.

« Tous ces braves gens-là, à condition que
leur nom dût paraître dans *Le Constitutionnel*,
eussent volontiers donné, qui cinq, qui dix
francs, pour aider à la fondation d'un asile de
libérés à la Guyane, dans le département des
Landes, ou à Quimper-Corentin. Mais ils n'en
voulaient pas laisser subsister si près d'eux un
pour lequel on ne leur demandait pas un sou.

« Et puis Vidocq, qui sentait combien il
était supérieur, pour l'intelligence et les idées
acquises, à toute cette aristocratie de comptoir,
la plus vaine et la plus bête de toutes, ne se
prêtait pas le moins du monde à flatter son
orgueil ou à plier le genou devant elle.

« Sa maison, bien que simple et modeste, était décorée avec infiniment de goût, et renfermait à elle seule plus de véritables objets d'art que toutes celles du pays. Sa tenue à lui-même était celle d'un conseiller à la cour de cassation. Son cocher, bien que provenant du bagne de Brest en ligne directe, conduisait avec une élégance peu commune de superbes chevaux anglais.

« On ne pouvait, quoi qu'on en eût, faire un crime à Vidocq de sa maison, de ses jardins, de ses chevaux et de son cocher : on lui en fit un de la cheminée de son usine. On prétendit qu'elle détruisait la végétation à un kilomètre à la ronde... Les sept plaies de l'Egypte n'étaient rien en comparaison.

« Les procès-verbaux, les plaintes, les assignations tombèrent sur lui comme grêle. Il ne s'en émut pas autrement, et gagna tranquillement tous les petits procès dont on lardait son existence... »

On lui reproche aussi son sapajou, ses chiens, des « dogues d'une taille colossale »... En réalité, ce sont deux chiens des Pyrénées, « aussi redoutables la nuit que complètement inoffensifs pendant le jour ». Les visiteurs peuvent les caresser. Vidocq dit souvent qu'il connaît peu d'hommes auxquels il pourrait se confier aussi sûrement qu'à ses chiens. Il prend soin de les nourrir, chaque jour, de ses propres mains.

Il avait espéré qu'on le laisserait en paix. Toutes ses actions bienfaisantes sont critiquées, tournées en ridicule. On le plaisante de plus belle, sur sa maison, ses habits, son linge, ses collections.

« Vidocq est à l'abri — conte l'un des « teinturiers » des *Mémoires* —. Il est chaudement, grandement, proprement et solidement logé. Il a un bassin pour ses canards, j'allais dire pour ses cygnes, une écurie pour ses chevaux, une remise pour ses équipages, une niche pour son singe, deux niches pour ses grands chiens, des cachettes, des refuges, des souterrains, des terrasses, un belvédère d'où l'on voit venir, des meurtrières, par lesquelles on peut faire feu; un salon rempli d'armes, sabres, poignards, fléaux, pistolets, fusils, carabines, espingoles, des armes partout; des armes chargées et amorcées, de la poudre, des balles, des munitions de toute espèce, des retraites ménagées, des pièges, des surprises, etc. Arsenal, citadelle, résidence champêtre, la demeure de Vidocq est à la fois tout ce qu'elle doit être pour soutenir un siège, tout ce qu'elle peut être pour la commodité. »

Il faut en rire. Mais il y a encore la grosse émeraude, entourée de brillants, qui fixe le nœud de sa cravate en fine batiste ! Et le beau diamant qui étincelle sur sa poitrine ! Et le solitaire qui « donne une si grande valeur à sa main ! » Et la richesse de « cent autres » bijoux !

Non, jusqu'à son heure dernière, Vidocq ne connaîtra pas la paix. Pour l'arracher à sa retraite, les événements politiques s'en chargent. Une révolution s'accomplit. Charles X est renversé, la monarchie citoyenne s'instaure. Non sans difficultés nombreuses, toutefois. Et on ne les vaincra pas sans le concours de Vidocq.

XV

VIE PRIVÉE

> Son front était large comme
> sa poitrine. Il avait le nez
> épaté, les narines ouvertes et
> velues, les oreilles séparées de
> la tête, la bouche grande et
> gaillarde, les lèvres contrac-
> tées et gouailleuses.
>
> L.-M. MOREAU-CHRISTOPHE

SA vie privée piquait la curiosité. Ceux qui
fréquentaient chez Vidocq (magistrats, notaires,
banquiers, auteurs, parlementaires, journalistes,
ambassadeurs, médecins, avocats, personnalités
de la cour et de la société, etc.) connaissaient
bien la « châtelaine » de Saint-Mandé. Mais, sur
elle, ils apprenaient peu de chose, et le public
en général tâchait à deviner, de sa vie intime,
ce que Vidocq en dissimulait. Car il s'est appli-
qué, sa vie durant, à en anéantir, autant que
possible, toute trace. A peine parvient-on,

aujourd'hui, à force de recherches, à situer quelques-unes des étapes de cette carrière en marge de sa carrière publique.

Pourtant, il a été déclaré et répété (par ses ennemis) que Vidocq voulait qu'on sût qu'il était le bénéficiaire des privilèges de nombreuses jolies femmes, de la fille de joie à la princesse. Il y aurait même eu une « bonomanie » de Vidocq : les bonnes fortunes et les menaces contre sa vie.

« Il veut qu'on le croie placé sans cesse entre la haine des coquins et l'amour des jolies femmes. Quelques coquins, en effet, eurent des motifs de le détester. Des filles lui cédèrent par crainte. D'autres furent éprises de lui. Il rendit folle la femme d'un capitaine. C'était, suivant l'expression d'un noble pair, le respectable Gassendi, une vertueuse adultère : son mari était à l'armée, il se battait... »

Tout cela est à la fois bien simple et bien excessif. Indéniablement, la vie de Vidocq était en danger plusieurs fois par jour. Sa vie amoureuse comporte, elle aussi, pas mal de drames. Sur tous, Vidocq lui-même a observé le silence.

Les pamphlétaires le brocardent aussi. Le bruit de son second mariage ayant couru, ils inventent cette facétie.

Incapable de séduire une femme, Vidocq en fait rechercher une qui consente à l'épouser, et la recherche s'opère par la voie des petites

annonces !... Car, antérieurement, il a eu vainement recours à d' « honnêtes matrimoniomanes », en vue de nouer des relations avec quelque beauté sur le retour, mais « avantagée
d'une dot d'autant plus respectable que ses
appas auraient été moins respectés ». Ces
« matrimoniomanes » passèrent des annonces
dans les *Petites Affiches*. Hélas ! quand la
« foule des prétendantes » apprit qu'il s'agissait
de Vidocq, ce fut (content les pamphlétaires)
« concert de *fi donc ! un mouchard !... un galérien !... un homme marqué !...* » Et toutes, « les
plus vieilles, les plus décrépites, les plus impa-
tientes de renoncer au célibat, juraient de rester filles toute leur vie plutôt que de consentir
à s'appeler Mme Vidocq ». Malgré tout, une
« vertueuse douairière » se serait présentée,
aurait contemplé avec ravissement l'Hercule
qui cherchait femme, mais, ayant appris que
Hercule était un « échappé des bagnes » (*sic*),
elle serait tombée gravement malade... Aban-
donnons ces plaisanteries.

*

Il y a beaucoup de femmes, dans la vie de
Vidocq, depuis 1809, et, quelquefois, il y en a
plusieurs en même temps. Aussi parle-t-on du
« harem » de sultan Vidocq.

Quelques-unes de ces dames ou demoiselles
ont collaboré à ses entreprises de police. Ainsi

d'une nommée Henriette, d'une demoiselle Dionnay, d'Adèle Beaupré, de Renée Devaux, et, naturellement, de la bien-aimée « Annette » (« la femme qui tient la première place dans les affections de ma vie », disait Vidocq). Ainsi de Mme Gérard, qui se costumait en homme pour le suivre dans ses expéditions. Ainsi de beaucoup d'autres... Une de ses maîtresses s'est suicidée, de désespoir. Peut-être a-t-il rendu « folle » vraiment la femme d'un capitaine ? Mais il est certain qu'un chef de bureau de la préfecture s'est suicidé, parce que sa jeune femme (il s'agit de Mme Puteau, née Anne-Rosalie Legros) était la maîtresse de Vidocq.

Celle-ci l'était réellement, mais concurremment avec des actrices, des dames de différentes catégories de la société, des « clientes » reconnaissantes, des courtisanes...

Il se marie aussi, pendant cette période, et sans le concours des « matrimoniomanes », voire des *Petites Affiches*. Pas le moindre bruit autour de cette seconde union, pas un traître mot dans les *Mémoires*.

La deuxième Mme Vidocq s'appelle Jeanne-Victoire Guérin. Vidocq l'épouse en novembre 1820. Elle a environ trente ans. (Lui, quarante-cinq.)

Le contrat révèle la position de fortune de Vidocq. A part ses biens meubles et immeubles, il justifie de quatre-vingt mille francs d' « économies et épargnes » : ce qui représente vingt-quatre de nos millions.

Le mariage n'est pas heureux. Jeanne-Victoire est malade. Elle passe beaucoup de temps dans une clinique de la rue du Four, où elle s'éteint, le 18 juin 1824...

Un mois plus tard, Vidocq enterre sa mère, âgée de quatre-vingts ans au moment de son décès, le 30 juillet 1824.

Jamais elle n'avait abandonné son fils, qu'elle admirait et qui l'adorait. De tous les enfants qu'elle avait eus, il ne lui restait plus que le chef de la Sûreté et une fille, Augustine, restée à Arras. Partageant la vie mouvementée de son « admirable » gars, l'ex-boulangère l'avait suivi dans ses différents domiciles et avait tenu dignement sa maison, en dernier lieu celle de la rue de l'Hirondelle, où elle rendit l'âme.

Vidocq lui fait les funérailles qu'elle mérite. On remarque que des princes, des ambassadeurs, des pairs, des députés, etc., expriment leurs condoléances, assistent aux obsèques ou s'y font représenter. Un corbillard somptueux sort de la rue de l'Hirondelle, suivi d'équipages armoriés et d'un « nombreux cortège de chevaliers, de croix et de décorations de toutes les formes et de toutes les couleurs ».

Vidocq passe le reste de la journée dans la compagnie de ses intimes, et consacre son temps à déplorer la perte qui le frappe... pour longtemps.

A cette époque, déjà, participe à la vie de famille de Vidocq une sienne cousine, Feuride-Albertine Maniez. Elle est fille d'une sœur de Mme Vidocq mère. Celle-ci l'avait appelée auprès d'elle, à Paris, et elle vivait rue de l'Hirondelle.

En 1824, cette cousine a trente ans. (Dix-huit ans de moins que Vidocq.) Peut-être appartient-elle, dès ce temps, au « harem » de sultan Vidocq ? En tout cas, c'est elle qu'il épouse, à Saint-Mandé, le jeudi 28 janvier 1830.

La cousine est, elle aussi, en admiration devant Vidocq. Elle sera une compagne exemplaire pour celui qu'elle considère comme « l'un des hommes du siècle », et l'assistera sans défaillance dans toutes ses épreuves, notamment celles du grand procès de 1842-1843.

XVI

A L'ASSAUT DES BARRICADES

> On m'a toujours trouvé
> éveillé à l'heure du danger.
> VIDOCQ

C'EST par miracle que Louis-Philippe conserve son trône jusqu'en 1848. Il s'en faut de peu qu'il n'en tombe en juin 1832. Certes, les journées des 5 et 6 juin devaient, normalement, lui coûter sa couronne. Et, sans Vidocq...

Les hommes au pouvoir, ceux auxquels il a rendu des services, songent à lui, le prestigieux policier, depuis le lendemain de la révolution de Juillet. Mais Vidocq se fait prier. Enfin, sur les instances de Casimir Perier (ils se connaissent de longue date), il accepte. A condition d'agir clandestinement. Plus tard, il jugera s'il lui convient de reprendre officiellement son titre de chef de la Sûreté... Il l'a repris, depuis le 31 mars, quand éclate l'insurrection de juin 1832.

La veille de la première journée, cet homme qui sait tout fait connaître au préfet de police, par plusieurs rapports, les dispositions hostiles des partis. Il indique les lieux où carlistes et républicains se réuniront, leurs démarches, leurs projets. Ainsi, le gouvernement est prévenu. Quant à lui, en digne général, il dispose ses troupes et donne ses ordres pour la journée qui doit être funeste à la monarchie.

Le prétexte, c'est l'enterrement de Lamarque, ce général si souvent battu aux élections, qui passait pour le prototype du républicain, et s'accommodait fort bien d'être nommé baron par Bonaparte et comte par Charles X.

Vidocq suit le cortège jusqu'au Jardin des plantes. Ce qu'il a prédit se produit. Lui, se replie tout de suite sur la préfecture, s'installe à son poste de commandement... Déjà les postes de la garde nationale succombent. Les insurgés font le siège de celui de l'Hôtel de Ville.

Que faut-il, en effet, pour être maître de Paris ? Mettre la main sur la préfecture de la Seine et sur la préfecture de police. Après quoi, la garde nationale embrassant le parti de l'insurrection, le roi n'a plus qu'à s'enfuir, suivi de ses ministres. Et, en attendant le nouvel « ordre » de choses envisagé, le désordre s'installe partout. Car les coalisés du jour, carlistes et républicains, s'entre-dévoreront demain. La guerre civile menace.

Abandonné à lui-même, Vidocq a estimé à leur valeur les deux points névralgiques. Il entend sauver les deux préfectures et maintenir entre elles les communications indispensables.

En se repliant, Vidocq a rencontré le comte de Bondy, préfet de la Seine, impuissant à pénétrer dans l'Hôtel de Ville. Vidocq l'y réinstalle.

Le soir de la première journée, le préfet de police, renseigné de cinq minutes en cinq minutes par Vidocq, qui a des antennes et des agents partout, peut faire son rapport au roi.

Mais il s'agit d'atteindre le roi !... Vidocq lui fait traverser les barrages, lui fait même ouvrir le guichet du Louvre. (Car les gardes ne reconnaissent pas le préfet, mais connaissent Vidocq.) Une conférence avec le roi, Mouton (Lobau), etc. Puis, Gisquet, le préfet, est ramené par Vidocq à la préfecture.

Avant de se donner le bonsoir, Vidocq et Gisquet se livrent à une analyse de la situation. Vidocq demande carte blanche. Moyennant quoi, le lendemain, il apportera, dans des sacs, à la préfecture, les chefs de la révolte.

Le préfet hésite. Si l'insurrection triomphe, il paiera tout cela. Prudemment, il préfère attendre...

A la longue, Vidocq obtient de quarante-cinq à cinquante fusils de sapeurs-pompiers. Il en arme ses hommes, organise des patrouilles, et lui-même marche toute la nuit, tel un grand capitaine de ce temps, la veille d'une bataille décisive.

Le lendemain matin, il peste. Car les insurgés, dégrisés (les « troupes » ont passé la nuit à boire, et Vidocq aurait voulu les mettre définitivement hors d'état de nuire en profitant des beuveries et de l'ivresse), les insurgés reprennent l'offensive. Il peste vraiment contre la couardise des autorités, contre ces personnages placés à leur poste tout exprès pour diriger le pays, mener la nation... Quelle ironie !

Le pont Notre-Dame, qui assure la liaison entre l'île de la Cité (préfecture de police) et l'Hôtel de Ville (préfecture de la Seine), n'est plus praticable. Les troupes, les rares troupes restées fidèles vont se trouver entre deux feux. Les officiers d'ordonnance envoyés aux Tuileries sont poursuivis à coups de fusil. Il faut donc rétablir des communications. Mais comment ? Et qui l'oserait ?

Le pont Notre-Dame est alors le pont d'Arcole de Vidocq. Il franchit seul cet obstacle. Des croisées, les coups pleuvent sur lui... Il marche, défiant ses adversaires, et il atteint miraculeusement l'Hôtel de Ville. Le comte de Bondy est stupéfait. Mais celui-là aime Vidocq. Il salue le « général », son dernier exploit, et brosse pour lui le tableau de la situation. Vidocq l'informe sur tout ce qu'il a fait, vu et appris. Bondy est là comme « un homme qui veut mourir à son poste ». Ce courage séduit le

chef de la Sûreté. Le préfet s'attend à être déci-
sivement attaqué d'un moment à l'autre. Il ne
dissimule pas qu'il succombera : rien, en effet,
ne peut plus arrêter les offensives qui partent
de la rue de la Tannerie et de la rue de la
Verrerie.

Sur ce, Vidocq quitte Bondy. Affrontant les
mêmes dangers, il se hâte de rallier Gisquet.
Derechef, il franchit le pont Notre-Dame. Les
insurgés enragent, mais la peur fait dévier
leurs coups.

Après avoir renseigné Gisquet, effondré, le
« général » revient à ses troupes. A dix heures
du matin, il est informé que des barricades
s'édifient dans la Cité. Elles interceptent déjà
toute communication entre les troupes station-
nées, d'une part sur le quai aux Fleurs, d'autre
part sur le quai Napoléon. C'est donc l'agonie.

Vidocq a un sursaut. Il ne veut pas que ce
soit l'agonie. Il dépêche ses hommes dans
différentes directions. Lui-même pousse des
reconnaissances. Il constate, notamment, que
cinq barricades sont élevées et que le Petit-
Pont, reliant Notre-Dame et le quai Saint-
Michel, est au pouvoir des rebelles.

Ici commande Edouard Colombat, artilleur
de la garde nationale, l'un des chefs de l'insurrection, « homme aussi intrépide que dangereux
doué d'un grand courage et ayant une très
grande influence sur tous les mauvais sujets qui

infestent la Cité ». Il a — suivant la règle —
réuni un grand nombre de voleurs et de repris
de justice, et il les a « électrisés » en leur pro-
mettant un « pillage général », aussitôt la
victoire acquise : c'est-à-dire aussitôt la nuit
venue. Tels sont les « héros » des journées de
Juin.

En quelque sorte « commandant suprême »,
Colombat a établi son quartier général auprès
d'une autre barricade, située, celle-là, à l'angle
des rues de la Calandre et de la Juiverie. De
là, partent ses ordres. De là, il dirige tout.
Déjà, de nombreux militaires et des gardes
nationaux sont tombés sous les coups de ce
Colombat.

Vidocq s'élance, arrive comme une trombe
chez Gisquet, le secoue, lui fait évaluer la
catastrophe, et le supplie de lui permettre de la
conjurer.

« Avec quoi ? demande Gisquet.

— Avec ma poignée d'hommes ! réplique le
« général », la voix grondante. Laissez-moi agir.
Je me charge de tout. J'enlèverai les retranchements, et je vous amènerai les principaux chefs
des insurgés. »

Gisquet ne bouge pas. Vidocq insiste.

« Donnez-moi des munitions ! »

Le préfet n'en a pas. Est-ce qu'un préfet,
chargé d'assurer l'ordre, saurait se prémunir
des moyens de défendre cet ordre ? Enfin,
Vidocq découvre des cartouches en s'adressant

à un officier de la très inactive garde municipale. Après quoi, il réunit tout son monde,
précisément devant l'amorphe troupe, dans la
cour de la Sainte-Chapelle.

« Je demande des hommes de bonne volonté,
disposés à vaincre ou mourir ! »

Vingt de ses agents s'avancent, et tous jurent
de mourir, s'il le faut, pour le rétablissement
de l'ordre et la sauvegarde des lois ! (Or, tous
ces individus sont d'anciens forçats. La société
les a dirigés sur le bagne, parce qu'ils ont volé
un lapin, une poule ou un chapeau. Eux seuls
ont le courage et la grandeur de défendre
aujourd'hui la même société.)

Cette énergie frappe la garde, mais huit
hommes seulement sortent des rangs pour solliciter de Vidocq « l'honneur de faire partie de
sa troupe ». Il accepte, distribue les cartouches,
et se met en marche, lui premier, certain que
tous le suivront...

Il descend la rue de la Calandre. Une nuée
de projectiles s'abat sur lui et ses hommes.
Mais il avance. En cinq minutes, il arrive
auprès de la barricade derrière laquelle Colombat a installé son quartier général. Et c'est la
charge !... Vidocq monte à l'assaut. Il franchit
la barricade, cherche Colombat dans la mêlée,
l'atteint et s'empare de lui. La troupe de
Vidocq, délirante à cette vue, accomplit des
prouesses. En quelques instants, le « quartier

général » et la barricade ne sont plus qu'un
souvenir...

Alors, le chef de la Sûreté et les siens
rebroussent chemin, amenant triomphalement
au préfet l'un des chefs insurgés et une petite
compagnie à sa dévotion.

Mais Vidocq ne s'endort pas sur ses lauriers.
Il repart. Son premier lieutenant, Fouché, le
compagnon des temps héroïques, marche seul à
côté de lui, tandis que, conformément aux
ordres du « général », la troupe suit, à une distance raisonnable. Cette fois, il s'agit de s'emparer de la barricade du Petit-Pont.

(Une parenthèse. En ce temps-là, les criminels appellent Vidocq « le Mec ». Ce terme n'a
plus la même valeur, en argot. Il signifiait
alors : « le Chef », celui auquel on ne résiste
pas. Dieu lui-même est « le Mec des Mecs » : « le
Chef des Chefs ».)

Quand Vidocq et Fouché arrivent devant la
barricade, l'adversaire les couche en joue. Le
« général » somme les insurgés de capituler. Ils
ripostent par des menaces, hurlent des com-
mandements... Ils n'ont pas encore reconnu
Vidocq, lorsque l'un d'entre eux, au moment
de déclencher un feu roulant, s'aperçoit qu'ils
ont affaire au chef de la Sûreté, et presque à
lui seul. (La troupe est assez loin derrière.)
Néanmoins, l'effroi les gagne tous. Celui qui a
reconnu Vidocq crie à ses compagnons :

« C'est le Mec !... c'est le Mec !... Sauvons-nous !... »

Et tous s'enfuient, abandonnant armes et munitions. Vidocq fait abattre la barricade. Le nettoyage terminé, il ramène sa troupe au cœur de la Cité. A l'angle de la rue Saint-Christophe et de la rue de la Licorne, une autre barricade s'élève. Vidocq la prend d'assaut, comme la première. Il enjoint à ses hommes de ne se servir que des crosses. (Un seul coup de feu sera tiré.)

Vidocq nettoie la place, envoie les prisonniers à la préfecture. Restent trois barricades à anéantir sans tarder : la première, à l'angle de la rue de la Vieille-Draperie; la seconde, au coin de la rue des Marmousets; la troisième défend l'entrée de la rue de la Juiverie et des quais aux Fleurs et Napoléon.

Chaque fois, Vidocq commande à sa troupe de marcher « l'arme au bras ». Chaque fois, il s'avance, seul ou avec Fouché, somme les insurgés de se rendre, et chaque fois on l'accueille par une fusillade nourrie. Chaque fois, « comme un torrent », il se précipite à l'assaut de ces puissants retranchements, entraînant irrésistiblement ses hommes, et sans jamais tenir compte de l'écrasante supériorité de l'adversaire. Chaque fois aussi, quand il arrive au sommet d'une barricade, les insurgés s'écrient, avec un accent de terreur dans la voix :

« C'est Vidocq !... c'est Vidocq !... sauvez-vous !... »

Mais la promptitude du « général » (à cinquante-sept ans, il est agile comme un jeune homme) ne permet pas à tous les insurgés de se sauver.

Le régime l'a échappé belle et doit à Vidocq une fière chandelle. Tout le monde est d'accord sur ce point. Les ministres le proclament à leur manière, les insurgés à la leur. « Qu'est-ce donc, demandent-ils, qui fit échouer ce grand mouvement ? » Et de fournir aussitôt la réponse : « Mais c'est l'infâme Vidocq, dont la présence d'esprit sauva la royauté ! »

XVII

LENDEMAINS DE RÉVOLUTION

> Il avait un profond mépris
> pour les hommes, après les
> avoir surpris dans leur véri-
> table expression, au milieu des
> actes de l'existence les plus
> solennels et les plus mesquins.
> BALZAC

A QUELQUES jours de là, quand le calme est
rétabli, par un radieux matin du mois de juin,
on annonce au préfet qu'une grande dame, une
duchesse, se tient dans l'antichambre et sollicite
un moment d'audience. Gisquet se dresse tout
d'un bond, se fait répéter le nom, assure sa cravate, sa voix, les boutons de son habit, et dit
de faire entrer :

« Allez ! et les plus grands égards !... »

La duchesse entre. Certes, elle n'est plus très
jeune. Mais quelle allure imposante !... Gisquet
s'avance, lui baise la main, la conduit jusqu'à

un fauteuil devant son grand bureau. Un moment, il est comme éberlué par cette toilette, ces manières, ce langage. « Quelle race ! » pense-t-il. Il se sent très fier d'être recherché par cette noble personne — quel que soit l'objet de sa visite ! N'a-t-il pas là un souvenir qui enorgueillira le reste de ses jours ?

La merveilleuse duchesse parle, parle. Que dit-elle ? Gisquet n'écoute pas. Il est tout à sa contemplation. « Ce qu'elle voudra, je le lui accorderai ! »

Tout à coup, la visiteuse change de ton. Le préfet s'arrache à son émerveillement. « Que dit-elle, à présent ? » C'est que la voix n'est plus du tout la même. Ne dirait-on pas d'un homme ? Et quel est ce langage ?

« Vous savez bien, monsieur le préfet... cette mission secrète que vous m'avez confiée hier soir... Vous n'avez pas pu oublier... Je vais vous remettre sur la voie... »

Alors Gisquet se réveille tout à fait.

« Eh ! oui, cette mission secrète... Mais c'est Vidocq !

— C'est Vidocq ! » dit, à son tour, la pseudo-duchesse, qui se lève.

Le préfet tombe dans son fauteuil, et rit, rit... Vidocq pense qu'il va mourir de joie.

Revenu à lui, Gisquet sonne.

« Mes chevaux ! » commande-t-il.

Quand la voiture est prête :

« Allons ! dit-il à Vidocq. Venez avec moi.

— Et où allez-vous ?

— A Neuilly, chez le roi.

— Chez le...

— Vous savez bien que le roi n'ignore rien de votre activité dans ces derniers jours. Il sait ce qu'il vous doit. C'est sous votre déguisement que je veux vous amener devant lui. Mais vous commencerez par lui jouer la comédie, comme à moi. »

A Neuilly, Gisquet et Vidocq descendent. Le préfet entre chez Louis-Philippe, et lui annonce qu'il accompagne une grande dame, la duchesse de N..., qui sollicite une audience du souverain. Le roi se déclare charmé. « Le noble faubourg se rallierait-il ? » Il daigne faire entrer...

Alors Vidocq reprend son rôle. Louis-Philippe aussi manque mourir de rire. Puis il appelle la reine, ses fils, et les princesses, et Vidocq doit recommencer la scène pour toute la famille royale.

Journée de gaieté. Remerciements, compliments, poignées de main flatteuses, rien n'est ménagé au prodigieux Vidocq.

La monarchie revient de loin, mais l'opposition ne se résigne pas. Une violente campagne est déclenchée contre les ministres et le préfet de police. Elle s'étend à Vidocq. Les caricaturistes dessinent, l'une près de l'autre, la tête du roi et celle du chef de la Sûreté en leur imprimant une ressemblance saisissante. On colporte sur le grand homme de la police de méchantes anecdotes.

Certain jour, dans la diligence de Lagny, effectuant son trajet ordinaire, monte, à Nogent-sur-Marne, un voyageur. Son arrivée n'interrompt pas la conversation des autres voyageurs.

La manufacture et la maison de Vidocq s'aperçoivent aisément de la route. Aussitôt, la conversation de passer sur le chef de la Sûreté. L'un des voyageurs, ancien militaire, décoré, prend la parole :

« Vidocq, dit-il, c'est un gueux, un misérable, un pendard, qui a assassiné père et mère. Il a vingt fois mérité la mort, et on ne l'a gracié qu'à la condition qu'il ferait arrêter trente voleurs au moins par jour. Et la prison est là, suspendue sur sa tête, comme l'épée nue sur celle de Damoclès : les portes de la prison s'ouvriront pour lui, le premier jour où il ne remplirait plus les conditions qu'on lui a imposées. »

Il continue ainsi. Les auditeurs sont terrifiés au récit de toutes les scélératesses dont l'orateur de diligence accuse Vidocq. Un seul homme sourit. Celui qui est monté à Nogent. Bientôt, il descend. Alors, s'adressant au vieux militaire « bien renseigné », il déclare :

« Je ne dois pas trop vous remercier, monsieur, de la réputation que vous me faites. Je me nomme Vidocq, mais je vous assure que je ne me suis jamais permis toutes les peccadilles dont vous m'avez chargé. N'ayant jamais assassiné père et mère, ni personne, je n'ai pas de moi la mauvaise opinion que vous en avez. Je vous pardonne, toutefois. Mais, je vous en prie, à l'avenir, quand vous jugerez un homme, tâchez de le mieux connaître. ».

Là-dessus, Vidocq disparaît, laissant le militaire fort alarmé, à la pensée de la vengeance possible du chef de la Sûreté. Il en fut quitte pour la peur.

On ne parle pas seulement dans les diligences, mais dans les rues, dans les cafés, et la presse s'active. Gisquet est attaqué, et avec lui Vidocq :

> Bientôt sans doute quelque émeute
> A la Gisquet éclatera.
> Le preux Vidocq, avec sa meute,
> Armé d'un poignard, marchera.
> Mais le peuple, averti d'avance,
> Se contiendra dans le silence.

Des échos satiriques :

« L'ordre de Chose annonce l'intention de faire des nobles. M. Vidocq espère être un des premiers compris dans la promotion. »

Un peu plus tard, à l'occasion de l'emprunt grec, on lit un article intitulé *Compte courant de l'emprunt gréco-bavarois*. Il y est question de fournitures faites par la France à la Grèce, envoyées par vaisseau, avec une facture ainsi conçue :

ÉTABLISSEMENT DU SEPT-AOÛT
ENTREPÔT DES TUILERIES

FACTURE

A la garde de Dieu, et sous l'invocation de M. Lobau, vous recevrez par eau les objets suivants, tous de première nécessité pour la mise en train d'une monarchie citoyenne ou non citoyenne.

1° M. D'HARCOURT, député, propre à faire un excellent ministre des Relations extérieures, et que, vu la surabondance de la matière, nous coterons seulement à............................ 1 000 000 F

2° M. JACQUINOT GODARD, conseiller à la cour royale, qui ne peut manquer d'être un délicieux ministre de la Justice................................. 1 000 000 F

3° M. VIDOCQ, officier de paix, l'homme le plus capable de France et de Navarrre pour ce qui concerne l'organisation des polices et contrepolices. Vu la rareté de tous les articles de police, en Grèce surtout, où il n'y a pas de bagnes, M. VIDOCQ sera coté à..2 500 000 F

La *Caricature* salue Vidocq par une plaisanterie :

« Allons, Vidocq, allons, mets-toi de nouveau en mesure de sauver la patrie ! »

Ultérieurement, le même périodique satirique, offrant ses vœux aux dignitaires, aux ministres, à Thiers, au roi et à la France, souhaite « à monsieur Vidocq » (placé entre le roi et la France) « le paradis à la fin de ses jours ».

XVIII

L'HEURE DU RENONCEMENT

> On pardonne rarement à
> un homme de sortir de sa
> sphère.
>
> Vidocq

Donc, un mauvais vent souffle encore. Vidocq
retrouve ses ennemis dans la police comme
dans la presse d'opposition. Le timoré préfet
des journées de Juin, pour se délester, songe à
l'abandonner... Un procès qui s'ouvre — celui
de la Barrière de Fontainebleau — doit servir
de grande machine contre le gouvernement.
Les défenseurs diront que les accusés sont de
vertueux, d'héroïques et exemplaires républicains, victimes des provocations de l' « infâme »
police politique de Louis-Philippe et du gouvernement. Qui va riposter aux accusés, à leurs
« conseils », à l'opposition ? — Inévitablement
— et heureusement ! — Vidocq.

Les insurgés de Juin, ceux qu'on avait capturés les armes à la main, passaient à tour de rôle en jugement. Chaque fois, le nom de Gisquet était évoqué et, à la plupart de ces procès, Vidocq apparaissait. Le plus souvent, comme témoin. Soit parce qu'il avait arrêté personnellement les individus mis en jugement, soit parce qu'il avait des révélations à énoncer sur leur compte. La grande purge après l'écrasement...

Donc, à chacune de ces séances, tandis que les avocats péroraient sur les « hautes vertus républicaines », sur la « morale farouche » de leurs « incorruptibles » clients, sur ces « martyrs » de la liberté, Vidocq prenait la parole, et, en cinquante mots, tranchant comme une hache, il débitait impitoyablement ce qu'il fallait savoir sur ces « incorruptibles » et ces « martyrs ».

« Un tel..., tu étais, à telle époque, à tel bagne, pour tel motif !... Tu as tué... tu as volé... — Toi, à telle date, tu as assassiné... — Toi, ton nom est tout autre que celui que tu prends ici... Tu as été « chauffeur », ou forçat, etc. »

Voilà ce que disait Vidocq, sans se tromper jamais. Quel scandale son imperturbable mémoire et ses déclarations inattendues produisaient ! Le matin du jugement, la presse d'opposition avait chanté le « los » de ces martyrs. Le lendemain, le « crucifié de la foi républicaine » n'était plus qu'un « grinche », un « escarpe » ou un « cheval de retour »...

Les avocats ambitieux de jouer un rôle politique, et qui espéraient se servir de ces causes comme de tremplins, enrageaient, fulminaient des imprécations contre Vidocq, et juraient de lui régler, tôt ou tard, son compte. Un procès attendu doit servir de prétexte.

*

Le 20 septembre 1832 est appelée l'affaire de la Barrière de Fontainebleau. Dix accusés, tous « vêtus avec soin » : Louis-Adolphe Lenoir, vingt-huit ans, ciseleur; Louis-Gabriel Séguin, vingt-six ans, marchand de meubles; Jean-Marie-Gabriel Cloquemin, dit Victor, quarante-quatre ans, ancienne vedette de l'Opéra-Comique, peintre-lithographe; Joachim Moureau, trente-neuf ans, marchand mercier; Joseph Salomon, vingt-huit ans, marchand colporteur; Charles-Claude Desplantes, quarante-deux ans, serrurier; Joseph Desplantes, trente-huit ans, tourneur sur cuivre; Adélaïde Salomon, vingt-cinq ans, marchande à la toilette; Jeanne-Victoire Bonne, femme Rotier, quarante-cinq ans, « mise avec élégance », ouvrière en linge, et Laurent Léger, agent qu'on a mêlé arbitrairement au procès, afin de compromettre la préfecture.

A présent, l'historique de l'affaire.

Le vendredi 23 mars 1832, le chef de la Sûreté

arrive chez Schmidt père, restaurateur, à la Barrière de Fontainebleau. Il l'emmène aussitôt chez le commissaire de police de Gentilly. Il expose qu'un vol doit se commettre, le lendemain, dans l'établissement du restaurateur. Le « général » invite le commissaire à prendre ses dispositions. Schmidt est rassuré par la présence de Vidocq, mais il songe à sa belle argenterie et aux cent mille francs d'argent liquide... que convoitent les « pègres ». Le commissaire s'affaire, mande la gendarmerie et des agents, qu'il parque, suivant les directives de Vidocq, dans les caves et les locaux de Schmidt, notamment dans un cabinet voisin de la chambre où le vol doit s'effectuer. Lui-même se transporte au bureau des employés de l'octroi. Vidocq se tiendra dans l'une des caves.

Le 24 mars, à 7 heures du matin, les frères Desplantes pénètrent chez Schmidt. Ils se font servir à boire, puis à manger. A 8 heures, arrivent la fille Salomon, la femme Rotier et le nommé Salomon. Les deux femmes portent un grand panier (pour l'argenterie à enlever). Le groupe passe dans la salle située au premier étage, et où sont installés déjà les frères Desplantes. Les femmes commandent du café au lait, le Juif une bouteille de vin, et ils préviennent le restaurateur que deux « messieurs » viendront les rejoindre : il s'agit de Lenoir et Séguin, qui ne tardent pas à se montrer. Quant à Cloquemin et Moureau, ils se tiennent en réserve, dans un cabaret situé vis-à-vis du restaurant de Schmidt.

Le coup est bien monté, et d'ailleurs facile. Le restaurateur et son fils ne quittent la salle du bas que pour servir leurs clients : le premier étage reste donc sans surveillance. Pour plonger ces restaurateurs dans une plus complète quiétude, les femmes et quelques hommes feront du bruit : chansons, conversations animées, etc. Pendant ce temps, Lenoir et Séguin voleront. Le butin sera déposé dans le panier. Lenoir mettra une partie des billets dans son chapeau — le gigantesque « tube » de l'époque.

Naturellement, les voleurs sont « pincés » sur le fait, après effraction d'une porte et d'un secrétaire.

*

Vidocq pénètre dans la salle d'audience. Sur le bureau des avocats, au lieu de manuels de jurisprudence, il reconnaît les publications de ses ennemis : une *Histoire de Vidocq*, la *Police dévoilée*, les *Mémoires d'un Forçat*, etc. Il sourit, songe que la bataille sera furieuse, et s'assied.

Il sourit encore quand les accusés et leurs défenseurs répondent au président Bryon. A entendre les avocats, ces malheureux sont des innocents, presque des héros, eux aussi, de vrais fils de France, des éléments incomparables de cette magnifique nation française, la cheville ouvrière de la gloire de la patrie !... Vidocq sourit toujours. Les avocats continuent. Ces braves et honnêtes travailleurs n'auraient jamais songé à mal faire. Ils ont été odieusement entraînés. Et le grand mot est lâché : provocation !... Vidocq n'en continue pas moins de sourire, puis se lève. (Sensation dans l'auditoire.)

« On ne « provoque » pas des hommes pareils, dit-il. Ou bien ils ne demandent qu'à être « provoqués », si tant est qu'on veuille employer ce terme. Pour eux, cela revient à être « rencardés » [renseignés] sur une bonne « combine », une affaire à entreprendre. Et comme c'est leur état de voler et de tuer, ils mendient ce que vous appelez une « provocation »...

Vidocq passe à la caractéristique de ces « héros »

« Lenoir n'est pas un brave ciseleur. Le 18 août 1824, il a été condamné à quinze ans de travaux forcés pour vol avec effraction et par contumace. Pris un peu plus tard, à la suite d'un autre vol, il a encore mérité une autre condamnation : trois ans de travaux forcés. Il est allé au bagne. Mais ensuite de la révolution de Juillet, il a obtenu sa grâce, et, en 1831, il est revenu à Paris pour y exercer de nouveau son talent.

« Séguin, qui se donne pour un honnête

marchand de meubles, a été condamné à six
mois de prison, le 4 décembre 1820, par le tribunal correctionnel de Paris. Il avait alors seize
ans. Puis, le 7 avril 1824, il a été condamné
encore : cinq ans de travaux forcés pour vol
avec effraction. »

Et Vidocq continue, impitoyable :

« Cloquemin, peintre-lithographe, je te connais depuis le règne de Napoléon. Tu chantais
à l'Opéra-Comique, et tu avais dans ta manche
de belles actrices comme Mme Gavaudan,
Mme Saint-Aubin, Mme Crétu et d'autres, qu'à
tour de rôle tu reconduisais chez elles, après le
spectacle. Tu chantas dans *Aline*, le soir du
crime qui t'a conduit au bagne... Le matin, tu
t'étais présenté chez un changeur du passage
Feydeau, et tu lui avais demandé, au nom de
l'illustre David, le peintre de l'empereur, une
somme de dix mille francs en or, en échange
de billets de banque. Le changeur chargea son
commis, Thomas, de t'accompagner jusque
chez David, portant l'or dans une sacoche. Au
lieu de conduire Thomas au Louvre, du côté
de la rue du Coq, où demeurait alors le peintre, tu le menas par l'escalier où l'Institut avait
tenu naguère ses séances et dont les logements
étaient inoccupés. Là, avec un marteau, tu as
frappé Thomas à la tête pour lui voler l'or
qu'il portait. Mais ta victime s'est débattue, a
crié, et tu t'es enfui, croyant l'avoir achevée...

Or Thomas n'était pas mort. On le soigna et le guérit. Tu fus arrêté, malgré les interventions chaleureuses de tes protectrices, et tu allas accomplir vingt années de travaux forcés... Depuis, tu fabriques de faux billets. Tu n'as pas ton pareil pour imiter les mots « Banque de France », et, avec les pions d'un damier et un canif, tu te fais fort de reproduire tous les cachets... »

Vidocq regarde Desplantes aîné :

« Un de tes crimes t'a fait condamner à dix-huit ans de travaux forcés. C'était le 3 août 1819. En 1828, tu as tenté de t'évader, et ta peine a été augmentée de six autres années de fers. Mais le roi Louis-Philippe, après son avènement, t'a fait grâce. »

Et à Moureau :

« Tu es un ancien bagnard. Tu aides Cloquemin à fabriquer de faux billets. Tu manipules des sommes d'argent considérables, que ton soi-disant état de marchand mercier n'a jamais pu produire... »

Quand Vidocq achève son petit « tour d'horizon », l'adversaire est désemparé.

Vidocq explique aussi que Cloquemin prit l'empreinte de la serrure principale, tandis que Desplantes devait fabriquer la clef, mais que cette fabrication fut ajournée.

« Pourquoi ? demande le président.

— Parce que Desplantes était de garde, répond Vidocq, ironique.

— Dans la Garde Nationale ! » s'écrie le président.

La salle est en émoi. Le président et les jurés s'exclament.

« Dans la Garde Nationale !... un Desplantes ! » reprend le président, indigné.

Et Vidocq, de plus en plus ironique :

« Il y en a bien d'autres, dans la Garde Nationale ! »

*

La défense tente un effort. Ces militants républicains valeureux ont été poussés au vol et renseignés par Léger, lequel est un agent de Vidocq. Le chef de la Sûreté répond qu'il est aisé et naturel à un honnête homme de repousser toute incitation au vol.

« Il ne fallait pas être initié dans la maison pour connaître les habitudes, par la raison que l'escalier est sur le passage des consommateurs. Il suffit de demander à déjeuner, et l'on voit d'où vient et où va l'argenterie. »

Aussitôt, Schmidt père, interpellé, confirme les dires de Vidocq. A chaque mot qu'il prononce, le chef de la Sûreté gagne du terrain. L'adversaire bat en retraite. A présent, Vidocq tire à boulets :

VIDOCQ. — Cloquemin, après son arrestation, m'écrivit pour que j'allasse le voir à la Force. Il manifesta l'intention de me rendre service, car il connaît dans Paris quarante ou cinquante forçats libérés avec lesquels il a commis des crimes et des délits.

Cloquemin. — C'est faux.

Vidocq (tranquillement). — C'est vrai. Il me fit même des révélations écrites.

Le Président. — Où sont-elles ?

Vidocq (sortant des papiers d'une de ses poches). — Les voici.

Cloquemin, crie, glapit, trépigne.

Vidocq. — Qu'est-ce que peuvent faire vos cris ?

Puis il pourfend Desplantes, « héros » de la Garde Nationale. Et comme il va passer à l'anéantissement de Lenoir, Desplantes dit, à propos du chef de la Sûreté :

« Il voudrait tout prendre et en avoir la gloire ! »

Vidocq. — Ah ! mon Dieu ! je ne prends pas de gloire. Je me souviens que la coiffe du chapeau de Lenoir était fendue, et qu'il avait fait provision de pains à cacheter. Je lui demandai pourquoi. Il me répondit : « Pour *faire le saut* des billets de banque. » Le « saut », c'est-à-dire « faire la queue » à ses camarades (les voler).

Tous les boulets portent. Vidocq a gagné.

*

Ce triomphe déchaîne la colère d'une certaine presse. Le coup est manqué. Tout est à recommencer. Le préfet tremble à l'idée, précisément, qu'une nouvelle attaque se produira, si Vidocq demeure à son poste. Vidocq disparu, l'opposition, pense-t-il ingénument, n'aura plus d'aliment.

Or, Vidocq a rendu de trop précieux services pour que le régime se hasarde à le remercier. On ne peut pas lui demander non plus sa démission. Mais il faut s'arranger pour qu'il l'offre. En conséquence, il est décidé que la police de sûreté sera fondue dans la police municipale. Une aberration !

Immédiatement, le 15 novembre 1832, Vidocq écrit au préfet :

« J'ai l'honneur de vous informer que l'état maladif de mon épouse m'oblige de rester à Saint-Mandé pour surveiller moi-même mon établissement. Cette circonstance impérieuse m'empêchera de pouvoir à l'avenir diriger les opérations de la brigade de sûreté. Je viens vous prier de vouloir bien récepter ma démission, et recevoir mes sincères remerciements pour toutes les marques de bonté dont vous avez daigné me combler.

« Si, dans une circonstance quelconque, j'étais assez heureux pour vous servir, vous pouvez compter sur ma fidélité et mon dévouement à toute épreuve.

« Je suis, etc. (signé) : Vidocq. »

La démission est acceptée. Une pension lui est promise. On ne la paiera pas...

La presse annonce :

« -On assure que Vidocq est frappé d'aliéna-
tion mentale. »

Le lendemain, rectification :

« Nous avons rapporté hier le bruit qui cir-
culait dans Paris sur l'état mental de Vidocq.
Nous recevons une lettre de lui, dans laquelle
il nous déclare que nous avons été mal infor-
més, et qu'il n'a jamais été moins fou qu'aujourd'hui. »

Ah ! non, certes, pas fou du tout, et il va le
prouver.

QUATRIÈME PARTIE

LA POLICE DE VIDOCQ

> A l'aide de ses immenses ressources, cet homme a su se créer une police à lui, des relations fort étendues, qu'il enveloppe d'un mystère impénétrable. Quoique, depuis un an, nous l'ayons entouré d'espions, nous n'avons pas encore pu voir dans son jeu.
>
> BALZAC

XIX

LES FAISEURS

> J'ai délivré la capitale des
> voleurs qui l'infestaient. Je
> veux, aujourd'hui, délivrer
> le commerce des escrocs qui
> le dévalisent.
>
> VIDOCQ

« MAINTENANT, on veut aller sans nous, une
bêtise !... » dira le policier des *Comédiens sans
le savoir*.

On veut aller sans Vidocq, avec d'autres
hommes, suivant une autre formule. Mais on
ne retire pas la poutre maîtresse d'une char-
pente, quand on n'a pas sous la main une
autre poutre pour la remplacer. Et qu'arri-
ve-t-il ? Que la police du règne de Louis-Philippe est bien la plus médiocre de celles connues. Elle ne prévoit rien, défend à peine le
souverain, et laisse se développer une armée
d'assassins, de voleurs et autres malfaiteurs.

Cette époque est l'âge d'or des industriels.

Elle est aussi celle des chevaliers d'industrie. Pour être défendu, le bon citoyen ne peut pas compter sur la police, inopérante. Il se défend lui-même en se faisant garde national. Pour la défense du commerce et de l'industrie, alors là, il n'y a strictement rien. Les « faiseurs », comme les appelle Vidocq, s'en donnent à cœur joie.

Lui, Vidocq, entreprend de leur faire la guerre, de protéger le commerce en dépit de l'Etat. Il va se substituer à la police officielle, défaillante, inerte. Il crée sa propre police.

A son administration, il donne le nom de « Bureau de renseignements dans l'intérêt du commerce ». Il déclare : « J'ai délivré la capitale des voleurs qui l'infestaient. Je veux aujourd'hui délivrer le commerce des escrocs qui le dévalisent. »

Il élargit le domaine de son activité. Bientôt, il sera à lui seul toutes les polices de France. Il n'est plus auprès du gouvernement, mais il reste au courant de tout. Il a des amis, des relations, des antennes dans les ministères, dans les ambassades, dans les banques, dans l'armée, dans la magistrature, à la cour, dans les grands hôtels particuliers, etc.

Dès le départ, la police officielle prend peur, tente d'entraver la marche de ses opérations, lui suscite des procès. Il gagne. Il profite des audiences pour brosser un large tableau de

l'utilité de son administration. Quoique assisté
d'un avocat, il plaide sa cause lui-même et de
manière à rendre inutile le secours de son
défenseur théorique. « Il plaide — remar-
que-t-on — en vieux routier du palais, dédaigne les ornements de style, va droit au but, et
gagne son procès... »

Il jouit d'une flatteuse considération. Le
voici breveté du roi, et consacré « savant », puisque récemment élu membre d'une académie
protégée par le souverain et dont le duc de
Montmorency est le président.

Pour les défendre, il demande aux banquiers,
aux commerçants, aux fabricants vingt francs
par an, sous la forme d'un abonnement.

« Abonnez-vous ! Envoyez-moi vingt francs
par an, et plus jamais vous ne serez victimes
des « faiseurs » et autres escrocs. Je préviendrai.
Et, si j'ai le malheur de ne pas prévenir, je
mettrai la main sur celui ou sur ceux qui vous
auront dupés ! »

Un an plus tard, quatre mille signatures de
commerçants, banquiers, industriels attestent les
services considérables que Vidocq leur a rendus.

« ... Voulant rendre justice à Vidocq, et lui
témoigner notre reconnaissance des services
importants qu'il nous a rendus depuis l'ouverture de son établissement — dont l'efficacité ne
peut manquer d'être bientôt généralement
reconnue —, nous nous empressons, dans l'inté-

rêt du commerce, de porter à sa connaissance que, par ses soins, il nous a fait retrouver, aux uns des sommes considérables, des marchandises enlevées frauduleusement par des banqueroutiers; aux autres, il nous a fourni les moyens de nous faire payer des sommes plus ou moins fortes provenant de marchandises escroquées par des fripons aussi adroits qu'audacieux, et, depuis notre abonnement, il nous a mis à l'abri de nombreuses escroqueries dont nous aurions été impitoyablement victimes, sans les renseignements qu'il nous a fournis... »

Du côté de la rue de Jérusalem (siège de la préfecture), on commençait à voir rouge. Dès le début, la police officielle a recouru au procédé classique : truffer le personnel de Vidocq de quelques mouchards. Mais, pendant un certain temps, c'est en pure perte. S'en fait l'écho, Balzac, dans *Le Père Goriot*, où il fait dire par un représentant de la préfecture, un an, justement, après la création de la police de Vidocq :

« A l'aide de ses immenses ressources, cet homme a su se créer une police à lui, des relations fort étendues, qu'il enveloppe d'un mystère impénétrable. Quoique depuis un an nous l'ayons entouré d'espions, nous n'avons pas encore pu voir dans son jeu. »

Plus de vingt mille « faiseurs » sévissent et vivent aux dépens de l'industrie et du commerce. Vidocq se livre donc au calcul suivant.

Chaque « faiseur » dépense au moins dix francs par jour. (Dix francs d'argent volé.) Pour vingt mille, cela produit un total quotidien de deux cent mille francs, un total mensuel de six millions, un total annuel de soixante-douze millions.

« C'est donc un impôt annuel de soixante-douze millions que le commerce paie à ces messieurs. »

(Vidocq est au-dessous de la vérité — il le sait —, et, de toute façon, ce chiffre se traduit par plus de 22 milliards de nos francs actuels !)

En 1836, déjà, Vidocq démontre que, depuis que sa police fonctionne, il sauve annuellement un tiers de cette somme.

Son nom est chaque jour cité dans la presse. Sa popularité est immense. (Depuis qu'il ne collabore plus avec le gouvernement, la presse d'opposition le laisse en paix.) On n'a jamais fini de narrer les circonstances où il triomphe, alors que les différentes polices officielles ont échoué. En voici une amusante :

A Méru (Oise), un notaire est victime d'un vol important. Il s'adresse à la police, qui l'envoie promener, ou qui a d'autres soucis, ou qui est incapable. Peu importe. Abandonné à lui-même, le notaire fait appel au concours de Vidocq :

« Venons au fond des choses, lui dit Vidocq.

Est-ce votre argent, ou bien les hommes, que vous voulez ?

— Je veux les hommes, répond le notaire. Car je veux savoir comment ils ont été mis au courant et appelés chez moi. Je veux recouvrer ma sécurité.

— Les hommes, les hommes, c'est un peu plus difficile. Voyons pourtant. »

Et, sous les yeux du notaire, il déroule une centaine de lithographies très soignées. Des portraits de « messieurs » intéressants.

« Voyez-vous là quelque figure de connaissance ?

— Mais, dit le notaire, je ne puis nullement savoir comment était bâti aucun de mes voleurs, si ce sont des étrangers.

— Eh bien, revenez d'ici à quelques jours. »

A quelques jours de là, Vidocq interroge le notaire :

« N'a-t-on pas vu, le jour du vol, dans Méru, deux individus, l'un petit, vêtu d'une redingote grise à la Bonaparte, l'autre, de haute taille, portant moustaches, barbe, fumant le cigare, et « arborant » bague au doigt ? »

Le notaire est interloqué. Soudain, il se souvient... Aux barreaux de son étude, il a trouvé un morceau de tissu... gris, apparemment arraché à un vêtement... Aux bureaux de la diligence, le conducteur confirme qu'il a transporté deux hommes répondant au signalement fourni par Vidocq. Il se remémore très bien le

« grand » avec son cigare et sa bague... En quarante-huit heures, l'affaire est dans le sac. La
police a échoué ou n'a rien tenté. Vidocq a
réussi.

Il réussit trop bien ? Voilà ce qu'on ne lui
pardonne pas, à la préfecture, dans certains
bureaux. Avec cela, il déclare complaisamment
ses bénéfices. Son administration (qui a des
ramifications en province et dans plusieurs
pays étrangers) lui laisse environ six millions de
nos francs, en tant que bénéfice net annuel. Et
il se livre à beaucoup d'autres opérations...

XX

VIDOCQ GAGNE
LA PREMIÈRE MANCHE

> Peu sérieux en apparence,
> il ne faisait rien à l'étourdie.
> Quoique aussi prompt à exé-
> cuter qu'à concevoir, l'acte
> chez lui ne précédait jamais la
> pensée. Ses coups de hasard
> étaient presque toujours des
> coups de calcul, et çe qu'il
> semblait le plus faire *ex abrup-*
> *to* était ce qu'il avait le plus
> médité.
> L.-M.Moreau-Christophe

LES « faiseurs » cherchaient la parade. Ils la trouvent, quand les journaux orchestrent les succès policiers de Vidocq. La police gouverne-mentale prenant très mal la chose, des « fai-seurs » utilisent adroitement ce mécontentement, l'excitent dans la mesure utile et n'ont pas de peine à faire entrer quelques unités tarées de la préfecture dans leur jeu.

Le 28 novembre 1837, à 8 heures du matin, quatre commissaires, un officier et une vingtaine d'agents — « seulement ! » s'exclamait Vidocq — se présentent rue Neuve-Saint-Eustache, envahissent les fameux bureaux et... pillent les dossiers.

La première impression des envahisseurs est toute de surprise. L'administration de Vidocq ne se présente pas comme la calomnie le prétend. Dans un appartement somptueux, de vastes bureaux sont disposés sous les dénominations de première, deuxième, troisième, quatrième division. A l'entrée, un garçon de bureau. Dans l'antichambre, un groom en livrée : guêtres à l'anglaise, culotte peluchée, livrée au chiffre du maître. Il a pour mission d'annoncer les visiteurs à « monsieur le directeur »...

Il n'a pas à annoncer les forces de police, qui pénètrent comme une trombe chez « monsieur le directeur ».

Autre surprise : le cabinet de Vidocq est un amalgame de luxe, de confort et de goût. Le grand homme ne s'entoure que d'objets d'art « d'un rare mérite et d'une grande valeur ».

« Au nom de la loi !... »

Vidocq laisse faire.

Il sait d'où part le coup : du clan des « faiseurs » et de celui de la police — cette police de Louis-Philippe dont Claude, le chef de la Sûreté au temps de Napoléon III, dira : « Elle

ne valait guère mieux que le gibier qu'elle
pourchassait. »

Si l'on s'en prend à ses dossiers, c'est qu'on a
intérêt à les anéantir. Les policiers en saisissent
de trois à quatre mille. Or on sait que leur
nombre doit être bien supérieur.

« Où sont les autres ?

— Dans ma mémoire ! »

La police perquisitionne également rue du
Pont-Louis-Philippe (Vidocq a conservé cet
ancien appartement, après le transfert de ses
bureaux rue Neuve-Saint-Eustache) et fait main
basse sur deux mille cent trente-sept documents
se rapportant à l'activité du chef de la Sûreté,
de 1811 à 1827. Rue Neuve-Saint-Eustache, la
rafle porte sur tout ce qui peut compromettre
la police de Louis-Philippe : deux mille quatre
cent quatre-vingt-quatre documents et quaran-
te-sept dossiers de hauts fonctionnaires. La propriété de Saint-Mandé n'est pas épargnée, mais
la police n'y descend qu'au cours de la nuit suivante, et s'en retourne bredouille... Le « ma-
noir » conserve ses secrets.

Vidocq proteste aussitôt : par une lettre aux
journaux, par une plainte au procureur du roi,
et par un exposé au procureur général.

Il se sent très fort. Voulant connaître ses
sources de renseignements dans les ministères,
on a arrêté, notamment, quatre fonctionnaires
de la Guerre. Un coup d'épée dans l'eau... Par-

tout ailleurs, rien, pas un document compro-
mettant...

En revanche, on a agi à son égard en
sacrifiant toutes les lois : il s'en fait une arme,
et claironne les mesures arbitraires de la police

Les documents saisis auraient dû être inven-
toriés, enveloppés et scellés par Vidocq
lui-même, en même temps que par les autorités. Immédiatement après, la police aurait dû
les acheminer vers le cabinet du procureur du
roi. Les pouvoirs attribués à l'autorité adminis-
trative étaient expirés, la saisie accomplie.
Ceux de l'autorité judiciaire auraient dû prendre effet aussitôt. Mais aucune de ces règles n'a
été respectée.

Le 7 décembre, la police détient encore les
dossiers, qu'elle a « épurés » radicalement, et
que, sans doute, elle a « truffés ». Ce jour-là, elle
« somme » Vidocq « de comparoir à la préfecture ». Connaissant trop les mœurs des bureaux de la rue de Jérusalem pour se laisser
prendre, Vidocq se garde en écrivant aux procu-
reurs :

« Je n'ai pas besoin de vous dire que je ne
suis point assez novice, moi vieux routier, pour
ratifier par ma présence de pareilles illégalités...
Vidocq n'est pas fait pour tomber dans les pièges de ces messieurs : ce serait trop drôle... »

Les magistrats sont pour Vidocq. Au reste, même sans cette sympathie, ils ne sanctionneraient pas « de telles illégalités »... La police s'énerve. Engagée dans une mauvaise voie, elle persiste. De plus en plus fort, Vidocq prend pour défenseur un des avocats qui l'ont le plus attaqué, en 1832, et il dépose une plainte contre le préfet de police et les commissaires chargés de l'enquête.

(S'il a été condamné à huit ans de travaux forcés, sous l'accusation — non prouvée — de participation à une action illégale ayant pour but de libérer un pauvre laboureur, quel châtiment ne méritent pas les hommes éclairés et tout-puissants, qui se prévalent d'agir au nom de la loi et qui foulent aux pieds tant de lois ?)

La police riposte en l'écrouant à Sainte-Pélagie, le 19 décembre 1837.

Charles Ledru est un avocat renommé pour la fermeté de ses principes religieux et de ses idées libérales. La police politique de la Restauration l'a inquiété. Il hait Vidocq, qu'il ne connaît pas. (Il va devenir et restera le plus fidèle de ses amis.)

Vidocq s'adresse dont à cet « ennemi », qui répond :

« Je ne voudrais refuser mon ministère à aucun de ceux à qui il peut être utile. Cepen-

dant, je vous déclare avec franchise que vous
ne m'inspirez pas assez d'intérêt pour que je
consente à vous défendre gratuitement. D'un
autre côté, vous comprendrez qu'un avocat ne
doit pas accepter d'honoraires de Vidocq. Je ne
vois donc pas moyen de concilier votre désir
avec mes scrupules, à moins qu'il ne vous con-
vienne de porter aux sœurs de Saint-Vincent-de-Paul une somme de mille francs, à
laquelle je fixe le chiffre de ce qui me serait
dû, si j'acceptais votre cause. A cette condition,
et à cette condition seulement, vous pourrez
compter sur mon zèle. Ce serait une bonne
œuvre dont vous auriez tout le mérite : elle
vous placerait sous une protection qui, à mon
sens, vaut mieux que celle des polices passées,
présentes et futures. »

Cette lettre est une offense et une injustice.
Ledru regrettera son attitude, et, quelques
années plus tard, réparera hautement et publiquement... Mais, sans attendre, Vidocq répond :

« Je vous ai choisi pour me défendre, parce
que vous êtes un des avocats qui ont attaqué
les actes de mon administration avec le plus de
fermeté. Je ne m'en suis souvenu que pour
vous prier de m'accorder votre appui, car j'ai
désiré trouver, dans mon avocat, mon premier
juge, et le juge le plus sévère. C'est assez vous
dire que je ne crains rien. J'accepte, monsieur,

la condition que vous m'imposez : vous n'avez qu'à ordonner, les mille francs seront remis aux jour, heure et minute que vous aurez fixés... »

Pour la sœur Boulet, supérieure générale des sœurs de la Charité de Saint-Vincent-de-Paul, la sœur Henriette délivre un reçu de la somme en question, et Ledru prend l'affaire à cœur.

L'instruction provoque l'audience de trois cent cinquante témoins. Le juge Legonidec instruit l'affaire. Le magistrat Zangiacomi eut aussi à en connaître. Vidocq les tient, depuis longtemps, pour des magistrats irréprochables. Il se repose sur leur impartialité. Le 30 janvier 1838, Legonidec l'interroge pendant six heures... Mais, dès le 4 janvier, Vidocq lui a fait tenir un excellent mémoire, évoquant sa vie, sa direction de la Sûreté, les buts de sa police personnelle...

« Dans ma nouvelle carrière et dès ses débuts, j'ai aussi été fort heureux... Paris est infesté de « faiseurs » de tout genre. Les escrocs pullulent. Il y en a partout, dans tous les rangs, de très haut placés, de titrés, couverts et chamarrés de rubans et de décorations. Je les connais tous et, au besoin, je peux les signaler. Ils le savent. Ils en ont des preuves... J'ai dit : « M. le comte, M. le baron, M. le marquis, M. un

« tel, enfin, est un *Macaire*, un faiseur »... « On
doit penser qu'une telle franchise a dû déplaire
à ces messieurs « de la haute »... Plusieurs
grands personnages ont été poursuivis par moi
et mis par moi dans les mains du garde du
commerce... »

Vidocq se plaint, en outre, qu'on usurpe son
nom.

« D'autres, dont je ne me suis nullement
occupé et qui ont été menacés de mon nom,
ont payé leurs créanciers... J'ai la conviction
qu'il se fait plus d'affaires à l'aide de mon nom
et à mon insu, que je n'en fais moi-même. »

Il a raison. Des pièces apocryphes confirment
cette assertion... En définitive, Vidocq dit, sans
se tromper, que les « faiseurs » ont su mettre de
leur côté une partie de la presse et de la
police. Celle-ci n'a-t-elle pas à abattre un personnage qui constitue pour elle un reproche
vivant, permanent ?... Il y a aussi une note
amère, dans ce long mémoire. Récapitulant les
services rendus à la patrie, il conclut :
« Si d'autres que Vidocq avaient rendu des
services aussi signalés, ils auraient été couverts
de croix et de rubans, comblés d'honneurs et
de richesses ou de récompenses. Eh bien, moi,
qu'ai-je obtenu ? — le mépris et l'ingratitude ! »
Pendant des mois, l'affaire Vidocq passionne

le public. On s'attend à un procès inouï. Trois cent cinquante témoins : quel défilé aux audiences ! Mais on discerne mal quelles accusations peuvent peser sur lui. La police fait parler d'escroquerie, de corruption de fonctionnaires, d'usurpation de fonctions publiques...

Or, le 3 mars 1838, on apprenait que Vidocq — parfaitement innocent — venait d'être libéré, en vertu d'une ordonnance de non-lieu.

XXI

ENTRACTE

> Je sais mille traits du bon
> cœur de cet homme extraor-
> dinaire.
>
> BENJAMIN APPERT

QUAND il sort de la prison de Sainte-Pélagie,
Vidocq a soixante-trois ans. Un autre songerait
à la retraite, à l'effacement, et achèverait paisiblement sa vie. Vidocq est d'une trempe
différente.

Sa vigueur physique — « herculéenne », continuent de dire les journaux — ne décroît pas.
Son esprit reste aussi étonnamment fertile en
projets de mille sortes. Au reste, une figure
comme la sienne n'a pas de bénéfice de pouvoir disparaître à volonté de la scène du monde.

Il poursuit la lutte. La presse a parlé de lui,
à tort et à travers, cinq mois durant. Il réplique en couvrant d'affiches les murs de Paris.
La capitale doit savoir la vérité.

En outre de cette publicité, il y a celle que lui font les petits procès d'affaires qui l'appellent fréquemment au Palais de justice. Ces procès, il les gagne. Mais quand les journaux en rendent compte, c'est le plus souvent en y mêlant une note qui provoque l'envie, ou la jalousie.

On parle trop de Vidocq. Il est un homme trop heureux. Justement, à l'occasion d'une contestation relative aux appartements qu'il occupe, les journaux annoncent qu'il a gagné et qu'on l'a entendu dire, en se retirant, à l'un des avocats de la cause qui lui adressait une observation :

« Quand on a cent mille écus au soleil, on peut bien payer un loyer de trois mille francs, que diable ! »

Cent mille écus ! Cette boutade coûtera cher à Vidocq. Mais il ne songe qu'à la lutte :

« Je saurai, comme toujours, démasquer sans miséricorde tous ceux qui exploitent la confiance publique, et, quelle que soit la position qu'ils occupent, ils seront attachés au pilori. »

Aujourd'hui, comme naguère, il opère en France et à l'étranger. Dans les départements, il a conservé ses correspondants. Dans chaque ville, un huissier, un avoué, un avocat, et, souvent, le commissaire de police. Il procède avec autant d'efficacité à Cologne, à Aix-la-Chapelle, à Alger, à Bruxelles, à Bade, à Liège, à Utrecht, par exemple, qu'à Paris.

« Mes anciennes relations avec les polices étrangères me mettent à même de rendre de grands services... »

Il donne à son agence un développement qui semble tenir du prodige, et il se charge de tout, et de tous les genres d'affaires qui se peuvent traiter. Rien ne lui échappe. Il révèle qu'une importante maison de commerce, dont les dupes, à travers la France, ne se comptent plus, est menée par une bande de « faiseurs », dont le chef, un nommé Bénard, est un galérien libéré. Il a l'*Almanach des 25 000 adresses* dans son cerveau merveilleusement organisé, connaît chacun et tous, et il sait combien de personnages mis en vedette par leurs origines ou leur talent sont peu solvables, au propre et au figuré. Il est connu aussi pour sa bonté, mais à la condition qu'on ne se moque pas de lui.

Ainsi, un de ses clients, Fiérobe, lui confie un mandat pour le recouvrement d'une créance.

« Sur qui ? demande Vidocq.

— Sur un Mexicain. »

Un Mexicain ! Allez donc, au temps de Louis-Philippe, recouvrer ce qui vous est dû, quand le débiteur est un Mexicain, et en voyage ! Or, Vidocq a la réputation de réussir dans les cas dits désespérés. Ici, il réussit encore. Fiérobe est payé. Ce succès suffirait, à lui seul, à la publicité de Vidocq. Mais voici

mieux. Une fois payé, Fiérobe dédaigne de
régler ce qu'il doit à Vidocq pour « débours et
honoraires ». L'affaire suscite une vive curiosité.
Elle vient devant le tribunal de commerce.
Vidocq gagne. Fiérobe fait appel. Vidocq gagne
encore...

Le surnom de « pacha de la rue Vivienne »
lui est donné depuis qu'il a installé ses
bureaux dans la galerie du même nom, au
numéro 13. Il est, là, encore plus luxueusement
établi que précédemment. On fait antichambre
chez lui, comme naguère, il reçoit beaucoup de
solliciteurs, notamment des écrivains et des
artistes pauvres, qu'il aide généreusement.

Parmi ses obligés et débiteurs, un peu de
tout, des princes même. Cela ne l'honore pas
toujours. Vidocq n'est pas M. Jourdain. Mais il
a, comme Jourdain, son comte Dorante en la
personne du prince Charles-Louis-Gaspard de
Rohan-Rochefort. Sa sœur, la princesse Char-
lotte, est aussi la débitrice du « pacha débonnaire ».

Pendant des mois, Vidocq donne, donne...
C'est le prince qui a recherché la fertile amitié
de Vidocq, et, pour nouer des relations, la maison de Rohan a envoyé à la maison Vidocq (ce
rapprochement insolent sera fait devant le tribunal de la Seine) un ambassadeur, M. de
Fockdey, le plus intime ami de la princière
famille.

La liaison opérée, Rohan demande à Vidocq, « homme universel », de lui accorder son « estime ». Bientôt, il exige le tutoiement dans leurs rapports. Il dira à Vidocq, qu'il appellera « Coucy » :

« Je suis Rohan, mais tu es Coucy, car, comme Coucy, roi tu ne daignes, prince tu n'es, ne duc ne comte aussy, mais tu es fier et noble comme le sire de Picardie, ton compatriote. »

Rohan a des ennuis d'argent, de gros, de constants ennuis. Il dit :

« Je professe pour l'économie un immense mépris. C'est, à mes yeux, une vertu très roturière. »

Le « manant » Vidocq a cent mille écus d'or au soleil. Cela vaut bien qu'on daigne déchoir ! Devant le tribunal, on relèvera le nez, mais, pour l'instant, profitons de la vache à lait, sans le moindre scrupule... Chaque fois que monseigneur a besoin d'argent, il adresse au sire de Coucy de pressants billets :

« Fût-on savetier, il faut de l'argent, le dimanche. Ne laissez pas souffrir un homme que vous estimez... »

Il existe, dans cette histoire, une princesse de Rohan de la main gauche, Rosette. Cette lorette, maîtresse du prince, a besoin d'argent, et très souvent. Alors, on « tape » le bon banquier de la galerie Vivienne.

« Rosette se recommande pour un napoléon de plus, car elle a quelque chose à payer... »

Le billet est apporté par un commissionnaire, et à ce porteur il faut donner un pourboire. Qui le donnera ? Pas monseigneur, lequel n'a pas un sou vaillant. « Donnez aussi quelque chose pour boire au porteur », supplie-t-il. Et le bienfaiteur ouvre sa bourse pour payer les commissionnaires du pauvre prince... Rosette fait des dettes ? Qui les paiera ?

« Envoyez-moi quelque chose, je vous prie, car j'ai à payer une petite cochonnerie qui m'humilie. C'est une petite dette de Rosette. C'est ce qui me vexe le plus... »

Rohan dit à Vidocq : « Es-tu content, Coucy ? » Vidocq serait plus fondé à demander : « Es-tu content, Rohan ? » Inlassable, le prince mendie :

« Dussiez-vous mettre aux Blancs-Manteaux (au Mont-de-Piété), il faut m'envoyer cent vingt francs... »

Ses lettres commencent par « My dear friend », ou « mon cher maître », ou « mon cher directeur », et même « Votre Seigneurie », et le texte ne varie guère :

« Je suis à sec... Eclipse totale... Nous n'avons plus un centime... Nous nous recommandons, Rosette et moi... Nous sommes sans un écu... Envoyez-moi mon dimanche... Quelque chose ! s'il vous plaît, car, enfin, il faut manger... Ce que vous pouvez : peu vaut mieux que rien ! »

Mais ces sollicitations se compliquant d'une malhonnêteté caractérisée, Vidocq (qui ne se paie pas du titre de « sire de Coucy ») porte plainte. Rohan lui doit, entre autres, environ deux millions de nos francs. Or, il se produit ceci : l'avocat de Rohan, Delangle, et l'avocat général, Anspach, sont des ennemis personnels de Vidocq. A l'audience, ils outragent le bienfaiteur du prince. (Le président du tribunal ne s'y oppose pas.) Ils disent enfin qu'il est intolérable qu'un Vidocq ose demander justice contre un prince. En conséquence, Vidocq est débouté et condamné aux dépens. Rohan ricane. Vidocq sourit et sort, le front haut.

Avec cela, la guerre recommence entre la préfecture et lui. A la tête d'un trop grand nombre d'affaires, Vidocq ne voit plus les détails. Son personnel est insuffisant, tant en qualité qu'en quantité. On agit parfois à son insu. Dans son administration se faufilent des individus auxquels il ne prête qu'une médiocre attention (réservant ce soin à ses premiers collaborateurs), et qui viennent se faire embaucher sous les prétextes les mieux accueillis du bon Vidocq : misère, manque de travail, refus d'emploi provoqué par un antécédent fâcheux... Mais l'homme est repentant, et Vidocq ouvre indistinctement les bras à quiconque se présente comme un repenti.

Parmi ces individus se glisse un nommé

Ulysse Perrenoud. Il a reçu de la préfecture la mission d'épier la conduite de Vidocq, de surveiller ses actions, de scruter tout ce qui se fait et se passe dans son administration, de porter même ses investigations sur le passé, de puiser dans les anciens dossiers et dans les bavardages des agents renvoyés, de rapporter tout ce qui se produit, au jour le jour, galerie Vivienne...

Or, au mois d'août 1842, la police est à la recherche d'un nommé Champaix. Au moins est-elle censée le rechercher, car Champaix court toujours et continue de multiplier ses dupes. Quelques victimes de ce « faiseur », définitivement fixées sur l'apathie des « eunuques » du grand sérail, s'adressent à Vidocq. Sans beaucoup de difficultés, Vidocq se porte à la rencontre de Champaix, l'emmène chez lui et le contraint à se mettre en règle.

Quelques jours après, la police, à son tour, arrête Champaix.

A présent, grâce à cette banale affaire, la police tient Vidocq.

XXII

VEILLE D'ARMES

> Vidocq avait le raisonne-
> ment très sain, l'intelligence
> très prompte, l'élocution
> claire et facile.
>
> B. MAURICE

LA police a pu, enfin, arrêter Champaix, parce
que l'espion Ulysse Perrenoud est venu conter
l'affaire à la préfecture. Par lui, on a appris la
retraite de Champaix. Par lui, on a su tous les
détails de la liquidation de la question, à la
satisfaction des créanciers et de Champaix
même, trop heureux de s'en tirer à si bon
compte.

Seulement, ce compte n'est pas celui de la
préfecture. Une fois de plus, Vidocq a réussi et
démontré l'incapacité de la rivale, rendue
inoffensive depuis qu'il n'en est plus l'âme.
Une revanche s'impose, et, parce qu'on ne saurait l'obtenir sur un tiers, la préfecture décide
de la prendre sur Vidocq même.

Elle déclare donc que Vidocq s'est substitué à elle, illégalement, et elle se met en devoir de grossir les petits événements de l'histoire de Champaix. Elle exerce une pression irrésistible sur le « faiseur ». Celui-ci, la veille, était délesté, mais tranquille. Aujourd'hui, entre les mains de la police, il se demande comment il se tirera de là. Il est donc prêt à souscrire à tout ce qu'on exige de lui. Et voici ce qu'on exige de lui : il va porter plainte contre Vidocq, déclarer dans sa plainte (ce qui est inexact) que Vidocq l'a « arrêté au nom de la loi », puis qu'il l'a « séquestré », etc.

Le Code prévoit cela. Ainsi, le sort de Vidocq est réglé. Sur ce, la préfecture prend sous sa protection le bon, le doux, l'innocent Champaix, victime de l'horrible Vidocq. Car, entendons-nous bien, ce n'est pas la défense de la loi (s'il était prouvé que Vidocq l'eût transgressée) que prend la police. Non. Uniquement la défense du faussaire, de l'escroc !

Aujourd'hui, semble-t-il, personne, à la préfecture, ne s'aviserait de faire jouer un rôle pareil à l'administration. A cette époque, on n'hésite pas. Au procès, l'avocat général Anspach soutiendra, comme la préfecture, non pas la cause de la loi, mais celle de l'escroc Champaix...

Le mercredi 17 août 1842, à cinq heures du matin (et la police savait par Ulysse Perrenoud que Vidocq passait la nuit à Paris, et non à

Saint-Mandé), un commissaire, suivi d'une
« foule » d'agents, se présente galerie Vivienne,
fait main basse sur les papiers personnels, ceux
de l'agence (huit mille dossiers), ferme les
bureaux, et conduit Vidocq à la prison de la
Conciergerie.

*

Vidocq est donc en prison.

Quant à le juger, c'est une autre affaire.
L'essentiel est qu'il soit en prison. Les voleurs
continueront de courir, et, au moins, on ne
dira pas, si la préfecture ne les arrête pas, que
Vidocq a raison d'eux. Vidocq, au cachot, permet enfin aux fonctionnaires de la rue de Jérusalem de dormir.

Un procès va lui être fait. Certes, il n'est pas
certain que ce procès soit gagné. Mais en faisant traîner les choses, il apparaît comme certain que Vidocq, au sortir de prison, ne sera
plus redoutable. En son absence, son agence
périclitera. Or, il y a vingt mille clients. On
lui a pris huit mille dossiers, qui ne lui seront
rendus que lorsque bon semblera. Dans ces
contions, il est ruiné. Après un an d'incarcération, peut-être consentira-t-on à le juger.

Quelques jours après cette incarcération,
Mme Vidocq demande au préfet la permission
de se rendre chaque jour auprès de son mari.
« A son âge, il a besoin de soins et de consola-

tions. » Le préfet (du moins celui qui écrit en
son nom) envoie faire f... la dame Vidocq.
Vidocq lui-même sollicite alors.

« Mon épouse a eu l'honneur de vous adresser une demande pour obtenir de votre bonté
la permission de me voir tous les jours dans
ma chambre. Elle m'annonce, le désespoir dans
l'âme, que vous lui avez refusé cette faveur !

« Vous me permettrez de prendre la liberté
de vous faire souvenir qu'il y aura bientôt cinq
ans, dans une position semblable, vous avez
permis de communiquer avec moi tous les
jours et à toutes les heures.

« Aujourd'hui, je ne suis ni plus coupable
ni moins malheureux. J'ai seulement cinq ans
de plus... »

Enfin, après deux mois de réclamations, la
préfecture doit bien permettre (car, enfin, il y
a en France des règlements) que Mme Vidocq
soit admise à voir son mari...

Ces seuls procédés de la préfecture suffiraient
à révéler le caractère du procès qu'on se
réserve (sans précipitation) de lui faire.

Au reste, quand Vidocq est malade et
réclame des soins, ces soins lui sont refusés.

Devant cette attitude, Vidocq a compris. Lui
et sa femme demandent et obtiennent un jugement prononçant la séparation de leurs biens.

Le 27 avril 1843, Vidocq vend à sa femme sa propriété de Saint-Mandé, sa manufacture, ses meubles, ses tableaux, son argenterie, le linge, la cave, etc. Les tableaux, à eux seuls, sont estimés, au plus bas, à environ treize millions cinq cent mille de nos francs. (Certains sont signés : Rubens, Géricault, Poussin, Coypel, Titien, Claude Lorrain, Carrache, Breughel, Téniers, Léonard de Vinci, Fragonard, Salvator Rosa, etc.)

A la même époque, avril 1843, à la veille de l'ouverture des débats, Vidocq est encore sans avocat, et il n'a pu obtenir communication de différents dossiers. Il ignore même, en termes précis, de quoi il sera prévenu, demain, devant le tribunal correctionnel.

Tout de même, pour lui, un espoir demeure. On a commencé à parler de cour d'assises, d'échafaud. De l'échafaud, on est descendu au bagne. A présent, on dit plus timidement que l'affaire se borne à un procès correctionnel. Soit. Mais de quoi Vidocq est-il prévenu ?

Il va se l'entendre dire, incessamment, par le président de la sixième chambre. Son avocat, l'illustre Jules Favre, n'a pas eu le temps ni obtenu la permission d'en savoir beaucoup plus que son client.

Et maintenant, place à la justice. Hier, elle défendait Rohan contre son bienfaiteur. Aujourd'hui, elle va défendre l'escroc Champaix contre le défenseur des intérêts des honnêtes gens.

XXIII

VIDOCQ PERD
LA DEUXIÈME MANCHE

Ceux qui ont entendu plai-
der Vidocq savent mieux
encore à quoi s'en tenir sur
sa manière. C'est celle des
vieux routiers du barreau. Le
fait, sans phrases, exposé, pré-
cisé avec les formes les plus
nettes, une argumentation
serrée, une dialectique déses-
pérante, semblable à un tissu
qu'on ne peut rompre, à un
poignet qu'on ne peut fléchir, moqueuse même...

***

LE mercredi 3 mai 1843, le tribunal entre en
séance. Sixième chambre correctionnelle de la
Seine. Président Barbou. Avocat général
Anspach. La foule se presse autour du Palais
de justice. Longtemps avant l'ouverture de l'audience, une foule dix fois plus nombreuse que

lors des plus grands jours s'est efforcée d'envahir les lieux. On a rameuté tout ce qu'on a pu trouver de gardes municipaux.

Vidocq est entièrement vêtu de noir. Ses mains sont gantées de noir également. Il porte une cravate blanche.

Les regards de l'assistance se portent avec une curiosité mêlée de surprise sur cet homme dont la vie a été traversée par tant d'étranges vicissitudes, et qui, aujourd'hui, presque septuagénaire, présente encore toutes les apparences de la vigueur et de l'énergie de l'âge mûr.

Pour tous les assistants, massés dans l'enceinte du tribunal, Vidocq est un sujet d'admiration et de stupéfaction. Sa chevelure blonde, épaisse et frisée naturellement n'offre pas un seul cheveu blanc. Des rides profondes sillonnent son visage, et la pénible épreuve qu'il vient de subir suffit à les expliquer, mais ces rides ajoutent à l'expression de la physionomie, sans lui donner aucun des caractères de la caducité.

Vidocq promène sur l'auditoire et arrête sur ses juges un regard qui révèle son incomparable aisance et qui confirme son inaltérable dignité. Il demande au président la permission de faire asseoir auprès de lui un jeune homme, son secrétaire intime, qui, pendant les longs débats, ira de Vidocq à Jules Favre, portant des notes rapidement écrites par Vidocq, des pièces extraites du portefeuille, des dossiers, etc.

C'est aussi ce secrétaire qui passera, de temps en temps, à son vénéré directeur, un verre d'eau sucrée. L'assistance verra alors Vidocq boire avec autant de sang-froid qu'un membre de la Chambre des députés, et reposer le verre avec une majesté imperturbable.

Plus d'une fois, durant ces débats, Vidocq étonnera par son langage recherché, le choix de ses expressions, la suite de ses idées, ses excursions heureuses dans le domaine de l'ironie... Cet homme brillant, trop brillant pour ce lieu, ne fera jamais figure de prévenu. L'assistance aura constamment l'impression qu'il mène les débats. Il est fort, désespérément fort. Cela peut le perdre.

Il démontrera même aux magistrats qu'il connaît mieux qu'eux les aîtres du Palais. Champaix était dans une pièce voisine, et, au cours d'une explication, Vidocq s'interrompit :

« Mon Dieu ! monsieur le président, je vous demande un million de pardons, mais Champaix entend tout ce que je vous dis.

— On ne peut pas entendre de l'autre côté de cette porte, objecta le président.

— Mille pardons ! Je m'y connais mieux que vous. Je répondrai de ne pas perdre un mot de ce qui se dit ici. »

Le président ordonna de vérifier. Vidocq disait vrai. L'auditoire était conquis. Hélas ! ce succès, qui ne fit qu'augmenter, eut sa contre-partie : l'avocat général se hérissa davantage.

*

Souvent, quand il était chef de la Sûreté, l'avocat d'un assassin ou d'un voleur disait, dans l'espoir de le diminuer :

« Je voudrais bien savoir pourquoi le chef de la Sûreté a été jadis condamné.

— Si cela peut faire tant de plaisir à ce monsieur, je le dirai bien volontiers, répondait Vidocq.

— Pas un mot, je vous le défends », interrompait habituellement le président.

Cette fois, le président Barbou dit à Vidocq :

« Avant que je vous interroge, il est bon que vous nous donniez quelques explications sur des faits antérieurs (*Et la flèche empoisonnée part.*) Vous avez été condamné, en l'an V, par la cour criminelle de Douai, à huit ans de travaux forcés... »

C'est la clef du procès : tout effacer, ne rien laisser subsister des innombrables services rendus par Vidocq à l'Etat et à la société, et considérer seulement cet homme comme un « repris de justice ». !... Mais Vidocq ne faiblit pas. Calmement, il expose la vieille affaire, le malheureux laboureur, les grains, les enfants sans pain... L'assistance est émue. Néanmoins, le président s'entête :

« Enfin, c'est pour crime de faux que vous avez été condamné ! »

Vidocq ne se démonte pas. Sur une nouvelle question du président, il explique ce qu'il entend par « faiseurs » :

« Ce sont des gens qui achètent de toutes mains, à crédit, et qui revendent aussitôt à cinquante pour cent de perte, — qui ont des titres, des châteaux, des voitures, et qui volent aussi leurs tailleurs, leurs bottiers, leurs fournisseurs. »

Il est « breveté du roi ». A ce propos, le président lui cherche une mauvaise querelle.

« Eh, bien, si je n'avais pas le droit de prendre ce titre, il fallait me le dire. »

Le président comprend qu'il est allé trop loin. Il se hâte de reconnaître que ce droit ne saurait être contesté.

« Arrivons au premier fait qui vous est reproché, à la prévention d'arrestation arbitraire, de séquestration de la personne du sieur Champaix... Qu'avez-vous à répondre ? »

Un mot amusant pour commencer :

« Il n'est pas besoin d'arrêter un Auvergnat pour lui faire donner des acomptes, mais on l'arrêterait dix fois avant de lui faire donner la totalité. »

Quant au reste, c'est, dans un style que celui de Jules Favre n'effacera pas, à peu près ce que répétera l'avocat Landrin devant la cour royale... Quand Champaix eut disparu, après avoir réalisé des bénéfices énormes, les négociants s'adressèrent à Vidocq, qui considéra l'affaire comme des plus simples à résoudre.

« Vidocq connaît de longue main les Auvergnats, dira Landrin. Il sait qu'une fois leur retraite connue, la crainte d'une poursuite criminelle les amène à composition et qu'il peut les faire payer. L'important, l'essentiel est de les trouver et de les voir. »

La rencontre se produit le 12 août 1842, sur le pont Royal. L'agent Ulysse Perrenoud, placé par la préfecture chez Vidocq, est informé sur cette rencontre attendue depuis la veille.

« Cet homme, qu'un intérêt secret sollicite, qui voit tout de suite qu'il peut donner à cette affaire une couleur fâcheuse, cherche dès ce moment à dresser ses batteries. Il emmène avec lui un autre agent de Vidocq, comme s'il s'agissait d'une expédition violente. Sans ordre, il se fait accompagner de Tastet. Arrivé au pont Royal, il avertit les marchands voisins que le fameux Vidocq va venir faire une arrestation. Et quand ce dernier arrive, tous les esprits sont prévenus. Une curiosité malveillante est excitée contre Vidocq.

« Celui-ci est accompagné de son secrétaire. Dès que Champaix paraît, il va droit à lui, se nomme, lui demande s'il a de l'argent pour ses créanciers, montre ses titres et insiste pour être payé.

« Ce qu'il a prévu arrive. Champaix, découvert, intéressé à ne pas ébruiter son délit, demande à composer, dit à Vidocq : « Allons chez vous ! », lui prend le bras, et tous deux vont, comme deux amis, disent les témoins, chercher un fiacre, rue de Poitiers.

« Ils passent devant dix factionnaires, montent en voiture. Elle se dirige vers la galerie Vivienne, devant vingt postes et vingt factionnaires !

« Passage Vivienne, on s'arrête, on cause, on monte. Champaix monte le dernier. Il veut envoyer chercher l'ami auquel il a confié son argent, et il attend chez Vidocq. Il y dicte des notes, il y déjeune, il y voit dix étrangers et y est vu par eux. Il ne se plaint pas. Il dit même, le lendemain, à plusieurs personnes, qu'il était enchanté que Vidocq se chargeât de ses affaires...

« Et voilà ce qu'on a transformé en arrestation, en détention arbitraire !... »

Tout cela, Champaix finira par le reconnaître. Mais chaque fois que Vidocq veut étaler au grand jour la machination de la police, le président l'interrompt :

« Vous sortez de la question.

— Non, monsieur. »

Il rappelle que la police a envoyé chez ses clients avec des déclarations déjà rédigées et contre lui. Nul n'a voulu signer... Interrompu, il tient tête. A tous les coups qu'on veut lui porter, il a la parade. Une dame Herbelot, du clan des « faiseurs » et qui s'est laissé soudoyer pour venir déposer contre Vidocq, n'est très fière qu'un tout petit moment, car la voix de Vidocq retentit :

« Le chef de la maison est M. Herbelot, le mari de madame. Il a ses raisons pour ne pas paraître ici. Il pourrait y faire de fâcheuses rencontres. Cet homme et sa femme tenaient, à Paris, une fausse maison de commission. Ils achetaient en province à terme, et revendaient à Paris au comptant. Tout leur était bon... Madame ne vous dit pas tout. Je leur ai fait rendre bien d'autres choses, ma foi ! Entre autres, une pleine voiture de harengs saurs, une autre de fécule. Leurs glaces prétendues de Bohême se font à Strasbourg. Leurs fils préten- dus introduits en fraude viennent de Lisieux. Voilà... J'en ai démasqué vingt mille, et c'est pour cela que je suis ici ! »

On donne la parole à un sieur Voisin, ancien négociant, tuteur du jeune Leroux de Beaulieu. Ce Voisin-là prétend que le jeune homme tomba entre les mains de Vidocq, qui l'exploita et le mit en opposition avec sa famille. Vidocq l'assista dans toutes les démar- ches qu'il effectua pour n'être pas interdit. Enfin, quand Leroux de Baulieu se réconcilia avec sa famille, il dit à son tuteur que Vidocq avait entre les mains des billets en blanc signés de lui... Vidocq sourit :

« Voilà la fable. Moi, je vais vous dire la vérité. Leroux de Beaulieu, encore mineur, s'adressa à moi. Je découvris qu'il était victime d'une intrigue ourdie entre la femme Bailly, le nommé Falaiseau de Beauplan et le témoin. On voulait lui faire avouer des dépenses exagérées pour le faire mettre en interdit et le dépouiller plus aisément. Jamais je n'ai eu de billets en blanc de lui. Je lui ai prêté mille francs-or, sans billet, sans intérêts, qu'il m'a rendus à sa majorité et en or. Voilà tous mes rapports avec Leroux de Beaulieu. Je crois qu'ils ne sont qu'honorables pour moi. »

En somme, il domine les débats. Cela se manifeste avec plus d'éclat le lendemain.

« On vous reproche l'enlèvement d'une jeune fille dans un couvent... »

Il tombe bien, le président ! La « jeune fille » en question avait été envoyée « en correction » dans ce couvent par sa famille. Cette « jeune fille » était la maîtresse du comte de Sarda, qui l'entretenait. La famille avait chargé Vidocq de surveiller et déjouer les tentatives de l'amant. Le comte avait réussi à tromper la sollicitude des agents de Vidocq et de la famille, la jeune fille s'était enfuie pour redevenir la maîtresse du comte. A l'heure de ce procès, elle se produit sur les planches d'un théâtre parisien ! (Le public continue de s'amuser.)

« On vous reproche encore l'enlèvement, en plein jour, d'une femme mariée, dans ce même couvent, pour la rendre à l'amant qu'elle avait quitté.

— A cet égard, je dois entrer dans quelques

explications. Un client m'avait chargé de chercher une dame S..., disparue de chez elle en abandonnant une petite fille de cinq à sept ans. Je fis faire de nombreuses démarches et je parvins à découvrir qu'elle s'était volontairement retirée aux dames Saint-Michel, comme pensionnaire dans le quartier libre. Ensuite, je fus prié d'aviser au moyen de la faire sortir un moment, afin d'obtenir d'elle quelques renseignements indispensables, et de connaître les motifs qui avaient pu la décider à abandonner jusqu'à sa fille en bas âge. »

Il raconte — et l'auditoire l'écoute passionnément — comment il a ramené cette mère « folle » dans le chemin du devoir, comment elle est sortie « librement » (des témoins l'attestent) et comment, avec des larmes de joie, elle a retrouvé et l'enfant et le père qui l'attendaient à proximité du couvent.

L'auditoire est attendri. Vidocq mène cette foule comme il veut... Viennent, à présent, les témoins. D'abord, le spirituel docteur Koreff, l'une des vedettes des salons parisiens. Il a eu, trois ou quatre fois, besoin des éminents services de Vidocq, et, chaque fois, il a été magistralement satisfait. Il a voulu l'éprouver jusqu'au bout, le « coller ». Mais on ne « colle » pas Vidocq. Il a dissimulé son perroquet loin de Paris, puis il est allé dire à Vidocq : « Retrouvez-le ! » Et Vidocq, dans un temps record, l'a retrouvé à... Bourg-la-Reine.

On rit. Maintenant, il est question des directeurs des théâtres parisiens, toujours à court d'argent, et régulièrement tirés d'embarras par Vidocq. Antony Béraud, directeur de l'Ambigu-Comique est l'un d'eux. Un soir, ses acteurs refusant de jouer, il est accouru chez Vidocq, qui lui a avancé, séance tenante, sans reçu, sans intérêts... dix mille francs : trois millions de notre monnaie !

Les négociants, les manufacturiers, les banquiers défilent. « Nous étions dépouillés. Vidocq nous a fait retrouver notre argent et nos voleurs ! » Tous prônent sa loyauté et son habileté. Cent cinquante personnalités du monde des affaires et de la finance témoignent hautement.

Dornier, le médecin de Vidocq, vient dire que les « châtelains » de Saint-Mandé forment un couple modèle : « Ils sont gens de très bonne compagnie. » L'avocat Ledru fait une déposition émouvante. Il s'humilie parce qu'il a offensé Vidocq, naguère, avant de se charger de sa défense. Puis il raconte comment, lors des sanglantes journées d'émeute de mai 1839, Vidocq a sauvé la vie du procureur général Franck-Carré.

Anspach, l'homme qui représente la « vindicte publique », l'avocat général, Anspach fulmine... Il s'attaque à la « jactance » de Vidocq, à ses « fascinations », à sa « haute intelligence ». Tel quel, cet homme est « un danger pour la Société ». Il déclare aux juges qu'ils ne se montreront jamais assez sévères. (Mouvements d'indignation dans l'auditoire.)

Après lui, Jules Favre prend la parole.

« On vient de vous dire que vous aviez à juger un homme dangereux, dont il importait, et pour le passé et pour l'avenir, de purger la société. On vous l'a même représenté comme si dangereux qu'on vous a prévenus contre l'espèce de fascination qu'il pourrait exercer sur vous. Et, cependant, il est innocent... Ah ! mon Dieu, moi qui ai vu tant de prévenus devant la justice, je n'en ai jamais vu se présenter devant elle avec autant de simplicité et de bonhomie. »

Jules Favre fait le procès de ce procès. Contre Vidocq, il n'y a que deux adversaires : un repris de justice, escroc fameux, et la police. Aucune prévention ne peut être soutenue. Alors ?... Jules Favre laisse le ministère public « s'appuyer sur son acolyte indigne », et il éblouit l'auditoire par quelques autres traits.

« Ah ! il y avait de singuliers papiers, chez Vidocq ! Qu'eussiez-vous dit si vous aviez trouvé une note ainsi conçue : *On ne tient pas à l'argent. On a besoin d'avoir, immédiatement, à Paris, une femme dont la cuisse ait été coupée six pouces au-dessus du genou, et qui, cependant, marche avec aisance, aidée d'une jambe de bois...* ? Vous auriez vu là un mystère, un crime. Cette femme, Vidocq l'a trouvée dans les vingt-quatre heures ! De qui s'agissait-il ? D'une honorable et bonne mère de famille, décidée à se laisser mourir plutôt que de supporter une opération indispensable, et à laquelle il s'agissait de prouver que le succès de cette opération était possible. »

Jules Favre continue. Le docteur Ségalas a été volé. La police s'est livrée à des recherches infructueuses. Vidocq a retrouvé les voleurs et les objets précieux dérobés. — Le maire de Rouen a été volé. On lui a vendu mille quatre cents francs (quatre cent vingt mille francs de notre monnaie) un cheval de course qui ne valait pas un louis. La police s'est essoufflée à courir (si l'on peut dire) après les escrocs, qu'elle n'a pas rattrapés. Vidocq les a « paumés marrons », et le maire a récupéré son argent, — L'adjoint au maire du XIe arrondissement, à Paris, a pareillement été volé. Après trois mois d'attente, il a désespéré de la police officielle. En quelques jours, Vidocq lui a donné satisfaction. — De même (et c'est plus fort !) le commissaire central de Rouen a été contraint de recourir à Vidocq ! — Enfin, le « bouquet »... Au Havre vit le cousin du préfet de police. Oui, le cousin germain de M. Delessert. Lui aussi a été volé. Parce qu'il est le cousin du préfet, rien n'a été négligé : toutes les forces de police du royaume ont été mobilisées. Néanmoins, les voleurs ont continué de courir... Qu'a fait alors le cousin du préfet ? Il s'est adressé à Vidocq. Pour corser le problème, il s'est même caché sous l'anagramme de son

nom : Tresseled. Et qu'a fait Vidocq ? Sous
Tresseled, il a d'abord flairé une supercherie,
puis compris qu'il s'agissait d'un Delessert.
Affaire grave, aux yeux de Vidocq, qui ne veut
pas offenser le préfet personnellement. Il ne se
met donc pas en campagne, mais « courrier par
courrier », atteste Delessert, il indique au cousin
du préfet « le signalement et l'adresse des
voleurs ». La police n'a eu qu'à les cueillir...
(L'enthousiasme s'accentue dans la salle.)

Acquitté, Vidocq eût été porté en triomphe.
Quel affront, alors, pour ses rivaux ! On le
condamne donc. Cinq ans de prison. Cinq ans
de haute surveillance et trois mille francs (neuf
cent mille de notre monnaie) d'amende, plus
les frais...

L'auditoire proteste. Le président doit ordonner l'évacuation. Le mécontentement général
gronde longtemps, à l'intérieur et à l'extérieur
du palais.

Vidocq, qui a entendu ce jugement avec le
plus grand calme, s'incline dignement devant
les membres du tribunal et se retire sans prononcer une parole.

XXIV

VIDOCQ GAGNE LA BELLE

> Au banc des prévenus était assis cet être incompréhensible dont nous avons tracé naguère la physionomie formidable, ce vieillard robuste comme un jeune homme, qui a consacré sa vie tout entière à l'œuvre terrible de livrer au glaive des lois les criminels et les malfaiteurs; cette intelligence de feu que le temps n'a point affaiblie; cette âme d'airain que, par une sorte de prédestination étrange, Dieu semble avoir façonnée à la mission redoutable qu'il a choisie, à laquelle rien ne saurait le faire renoncer —, Vidocq en un mot !
>
> ***

VAINCU, il réintègre sa prison, mais fort de deux satisfactions : l'opinion est en sa faveur, et

il a donné au monde un spectacle étincelant.
Le dernier compte rendu des séances
l'affirmait :

« En présence de la justice, il n'a pas faibli.
Sa fermeté, son sang-froid, sa sagacité ne lui
ont pas fait défaut. Toujours debout, épiant les
paroles qui s'échappaient des lèvres de chaque
témoin, ne perdant jamais contenance, trouvant
d'inépuisables ressources dans la sûreté de sa
mémoire, se défendant pied à pied, avec une
assurance et une tranquillité qui ne s'est pas
démentie durant ces pénibles débats, il ne s'est
point égaré un seul instant à travers le dédale
inextricable des faits.

« Rien de plus curieux, surtout, que d'étu-
dier sur son visage l'effet de la condamnation
qui le retranche du monde pendant cinq
ans, qui le place ensuite sous la surveillance
de la police. Ses yeux ne se sont pas baissés.
Son front n'a point blêmi. Impassible et calme,
il a écouté sa sentence d'un air indifférent et
stoïque, et, quelle que fût la tempête qui agi-
tait sourdement son âme, nulle émotion n'a
paru sur ses traits. »

Le vieux lutteur interjette appel. Il prend
Landrin comme défenseur. Un mois plus tard,
la police continue de se refuser à lui laisser
préparer sa défense. Un rageur « refusé » s'étale
sur toutes ses requêtes. En juillet, Landrin proteste véhémentement. L'affaire doit venir
devant la cour royale (la cour d'appel) le 22

juillet. Cette attitude est un scandale. La police
s'efforce de « chambrer » Landrin, pour qu'il
renonce à défendre Vidocq. A quelques jours
de l'audience, l'avocat n'a pas encore obtenu
communication des pièces...

A la préfecture, on se réjouit et on se frotte
les mains.

*

« Ils deviennent rares, disait Balzac, les hommes qui ne montent pas sans de vives émotions
l'escalier de la Cour royale, au vieux palais de
Justice. » Le 22 juillet 1843, une foule nombreuse
le gravit. La salle est comble. Des dames « élégamment parées » donnent à l'audience « un
aspect inaccoutumé ».

Le président Simonneau ordonne d'introduire Vidocq, qui entre en produisant la sensation habituelle. « Il est vêtu très convenable-
ment : habit noir, cravate blanche, manchettes,
notent les chroniqueurs. Il paraît péniblement
affecté. Ses manières sont simples. Il fixe constamment les yeux sur la cour et sur le Christ.
Son émotion se trahit de temps à autre par
quelques soupirs qu'il ne peut complètement
étouffer. Du reste, sa tenue est fort digne. »

Et, déjà, la revanche : Champaix est là, et ce
protégé de l'administration se tient, piteux, sur
le banc des accusés... C'est par lui que le président commence, et sous ses traits acérés, mépri-

sants, impitoyables, le « faiseur » capitule, lamentable. Ses protecteurs aussi...

L'avocat général Godon demande à la cour de juger « avec prudence ». Puis Landrin se lève, et plaide magnifiquement. Il exalte ce vieillard odieusement persécuté, et uniquement parce que toute sa vie a été consacrée à la sûreté, à la sécurité, à la défense de la société. Il a été condamné parce qu'il inspire de l'effroi à ses rivaux de la police, et ceux-ci ont réussi à communiquer leur effroi à quelques magistrats... Quand Landrin a radicalement démontré l'innocence de son client, il énumère mille actions aventureuses, de celles dont Jules Favre n'a pas su tirer parti.

« Dites donc qu'à chaque instant, ces dossiers que vous avez saisis révèlent, proclament des traits de délicatesse et de courage qui honoreraient toute une vie... Dites donc aussi qu'il n'a pas voulu, à prix d'or, céder aux sollicitations insensées de ce jeune fou qui voulait enlever une actrice célèbre... Dites que Vidocq, une fois, sur la demande d'un mari offensé, arracha à l'infâme qui avait séduit sa femme la correspondance dont il se faisait un moyen de lucre et d'épouvante. Qu'il le fit au péril de sa vie, et qu'il obtint, pour seule récompense, la promesse du mari de ne pas lire et de brûler ces lettres où sa honte, son malheur étaient écrits. (Balzac a adopté ce thème pour *Une fille d'Eve*.)

« Ajoutez enfin qu'un autre jour, une jeune fille, d'une famille illustre, fut aussi, à son insu, l'objet d'un projet d'enlèvement, projet conçu par un homme marié, considérable (un homme d'Etat), que le délire avait égaré jusqu'au crime. Que Vidocq, maître de la confidence de cet homme, l'a, dans son intérêt, noblement trahi. Qu'il a confié son dessein, pour le prévenir, à la foi d'un magistrat dont les souvenirs nous viendront en aide. (Il est dans la salle.) Que celui-ci, dont le cœur est haut placé, n'a pas rougi de s'associer à une bonne action de Vidocq. Qu'il a sauvé la jeune fille de la catastrophe qui l'eût perdue, l'homme de sa propre folie, et que Vidocq n'a voulu d'autre récompense que d'être de moitié dans le secret de cette bonne œuvre !

« Dites ces belles actions, et mille autres ! Et n'ajoutez pas qu'il faisait son métier, qu'il remplissait son devoir ! Ainsi rempli, au prix de tant de risques, un tel devoir devient une haute vertu ! »

Landrin évoque les grandes heures de la vie de Vidocq... Et, pour finir :

« Voilà ce qu'il fallait dire pour laisser à cet homme sa vraie physionomie, sa moralité, et ne pas se faire l'écho de faits dénaturés devant la justice par les bouches impures qui nous les ont appris.

« Mais non, on a mieux aimé les redire, et ajouter avec mépris que, d'ailleurs, tout est croyable d'un tel homme, puisqu'il est en état de récidive...

« Récidive à Vidocq, mon Dieu ! récidive à cause du crime que vous savez, après cinquante ans d'expiation, pour une faute que notre loi ne punirait plus !

« Comment ! on lui aura demandé le sacrifice de tous les jours de sa vie, on l'aura condamné à tous les périls, à toutes les humiliations, à toutes les peines d'une profession terrible, où chaque jour de sa vie fut sur la brèche — tout cela pour effacer les fautes de sa jeunesse ! Et c'était un piège ! Et il était promis à la récidive ! Et les juges de première instance l'ont tué de nouveau avec son supplice de l'an V !

« Cela confond la raison, brise le cœur, et cela n'est pas juste... »

Landrin veut enchaîner, parler de ce coquin de « faiseur », du rôle de la police... Mais le président consulte la cour, et interrompt le défenseur de Vidocq.

« Maître Landrin, votre cause est entendue !... »

A ces paroles, qui signifient « acquittement », l'auditoire tout entier est saisi d'une émotion indescriptible. Chacun veut approcher du banc de la défense pour envelopper dans les mêmes et unanimes félicitations Landrin et Vidocq.

A quelque temps de là, Vidocq s'écriera (après avoir évoqué le mot fameux du meunier de Sans-Souci) : « Il est aussi des juges à Paris ! »

Le calme revenu, dans l'enceinte de la cour, celle-ci délibère sur place et rend un arrêt flatteur pour Vidocq. La physionomie de cet homme exceptionnel est alors admirable à voir, et nul ne s'en prive, car d'après un témoin, après cet arrêt qui met fin aux tortures de son âme, « il eût fallu un grand peintre pour traduire sur la toile la fervente expression de reconnaissance qui a illuminé, pour ainsi dire, sa face de lion ».

*

L'auditoire jubile, mais, derrière les portes du tribunal, il y a la police, qui ne décolère pas. Il faut bien relâcher Vidocq, à qui l'on a (illégalement) fait subir onze mois et cinq jours de régime cellulaire pour une... prévention correctionnelle ! On le relâche donc, d'ordre du procureur général, mais pour l' « étrangler » bientôt...

Le 21 septembre 1843, le préfet de police signe un arrêté pour procéder à l'expulsion de Vidocq. La capitale lui est interdite. La persécution et l'arbitraire administratif restent tout-puissants. Le 22 septembre, un commissaire se présente, galerie Vivienne, et signifie à Vidocq d'avoir à plier bagage.

Il ne répond pas. Le même jour, on le voit dans la salle des Pas-Perdus, au Palais. Aux magistrats et avocats qui l'entourent, il déclare :

« Je n'obéirai pas. J'attendrai une citation en justice pour faire juger de la « légalité » de ces mesures de forcenés ! »

Devant un nouveau procès, la préfecture recule. Le ministre de l'Intérieur réforme la décision du préfet.

Le voici enfin tranquille.

Tranquille, mais pas au repos. Car il reprend sa rude et laborieuse existence. On le revoit fréquemment au Palais. Il continue de se battre, de se défendre, d'attaquer, de triompher. Avec, toujours, la même devise : « Haine et guerre aux fripons ! »

Il a soixante-dix ans !

CINQUIÈME PARTIE

CÉLÈBRE ET IMMORTEL

Un homme qui s'est acquis une célébrité immense. Son nom est populaire à l'égal des plus grands noms. Que l'on parcoure les campagnes, que l'on visite la demeure des artisans : partout on rencontrera un livre qui raconte sa vie... Aux yeux de la foule, qui se passionne aisément pour de tels personnages, c'est un type accompli d'audace, d'intrépidité, d'adresse et de force.

***

XXV

VAUTRIN ET JEAN VALJEAN

> « Mais, mon cher, vous
> exercez une puissance terri-
> ble et miraculeuse. »
>   BALZAC

Un jour d'exil, à Jersey, Victor Hugo et son
entourage, tous passionnés pour les « tables
tournantes », interrogent l' « esprit » sur Balzac et
son plus puissant, son immortel personnage :
Vautrin. L' « esprit » décide que Vautrin est
grand, qu'il constitue ce que Balzac a fait de
plus grand.

Parce qu'il y a eu Vidocq, il y a eu Vautrin.
Ce géant-là est né de la collaboration Bal-
zac-Vidocq. Mais leur amitié étant demeurée
mystérieuse, nul ne pouvait supposer que ces
deux hommes de génie (et hommes secrets l'un
et l'autre) eussent eu une bonne raison pour ne
pas ébruiter leurs rapports. La voici.

Tandis que la cour royale, le 22 juillet 1843,

rendait l'arrêt qui innocentait Vidocq, un vieillard aveugle se faisait conduire au banc des accusés, cherchait la main de Vidocq, la serrait avec émotion et exprimait son bonheur comme il l'eût fait pour son propre fils ou son propre frère.

A quelques semaines de là, quand Vidocq confère avec ses conseils (Ledru, Landrin, Bonjean, Huré), qui vont délibérer si les autorités ont le droit de le chasser de Paris, voire de France, le même vieillard se présente chez Bonjean, lieu de la conférence :

« Je demande l'honneur (il appuie sur ce mot) de me joindre à vous, moi, aveugle, et un des anciens magistrats de la cour, pour attester que j'ai suivi et connu Vidocq dans tous ses actes, et que je l'ai toujours trouvé irréprochable et digne de mon estime. »

Minute d'émotion, l'une des plus belles de la vie de Vidocq. Ce vieillard est, depuis trente ans, son ami le plus cher, le plus dévoué, l'un de ses admirateurs au sein de la magistrature, et son défenseur inlassable.

C'est en 1811 que Vidocq est devenu le chef de la Sûreté. C'est en 1811 que ce magistrat a commencé à siéger à la cour (impériale, puis royale) de Paris. A partir de 1811, ils ont « collaboré »...

Or, ce magistrat ami de Vidocq s'appelle Gabriel de Berny, et sa femme, Mme de Berny, reste dans l'histoire comme la « Dilecta » et la

fée bienfaisante de Balzac. Telle est la clef du
« mystère ».

*

Balzac a donné à Vidocq des qualificatifs
vigoureusement expressifs. Il l'a comparé à
Richelieu, à Ximénez, à Machiavel, à Fouché,
à Talleyrand, à Frédéric le Grand, à Haroun
al Raschid, à Cromwell, à Napoléon...

La personnalité de Vidocq envahit l'œuvre
de Balzac. Il figure — ce type que Balzac a eu
le génie de s'approprier — dans *La Comédie
humaine* sous une quinzaine d'aspects.

D'abord, sous le nom de Vidocq. Voyez *Fer-
ragus*, *Les Comédiens sans le savoir* (où il est
cité en tête de tous les maîtres de la police),
De la mode en littérature, etc.

Ensuite, sous celui de Saint-Estève, l'un des
noms d'emprunt de Vidocq. Toutes les caracté-
ristiques appliquées par Balzac à son M. de
Saint-Estève, toutes, sont tirées de la vie de
Vidocq.

Naturellement, sous celui de Vautrin. —
Sous celui de Jules. (Vidocq a été Jules,
M. Jules, le baron de Saint-Jules...) — Sous
celui de Du Portail. — Sous celui de Corentin.
— Et encore de Bibi-Lupin. — Et même de
Gondureau. (Il est des mots, à lui prêtés, dans
Le Père Goriot, qui sont de Vidocq.) — M. de
Saint-Denis également. — Bourignard, comme

Vidocq, a une fille née de ses amours avec une femme du monde. — Et, partiellement, Vidocq a prêté ses traits, faits et gestes à Gaudissart, Bianchon (pour le récit de *La Grande Bretèche*), à Bixiou (pour l'histoire du déguisement en prêtre, dans *La Rabouilleuse*), à Desroches (dans *Un Homme d'Affaires*, également pour le récit. Au reste, les activités prêtées à Desroches sont, souvent, celles, authentiques, de Vidocq), à Cérizet (même ouvrage, pour le tour magistral joué à Maxime de Trailles), à Gobseck, etc.

Vidocq dans l'œuvre de Balzac? Il y est même sous le surnom de Trompe-la-Mort. Et Balzac, s'il lui en a prêté d'autres, a utilisé néanmoins tous ses traits. « Au fait, comme tout Paris, du passé de cet homme, Sallenauve avait été tout surpris de trouver en lui un fonctionnaire de fort bonnes façons. »

Tout ce qui se lit, dans *Le Député d'Arcis*, relativement à l'ami de Rastignac et de Franchessini, est calqué exactement (dans le moindre détail) sur le comportement de Vidocq. La collaboration offerte par Vidocq au Rastignac du *Député d'Arcis* était annoncée dans *La Dernière Incarnation de Vautrin*. (Scène du cimetière.) « Mon appui n'est pas à dédaigner, je suis, ou je serai plus puissant que jamais... vous aurez peut-être besoin de moi, je vous servirai toujours. » Dans *Le Député d'Arcis*, notre héros est « le seul homme par lequel puisse être sauvé l'avenir de la dynastie », au moment d'une grande insurrection...

La poitrine de Vidocq (sur quoi nous sommes minutieusement renseignés), cette poitrine qui aurait pu (Balzac *dixit*) appartenir au torse de « l'Hercule Farnèse de Naples », cette poitrine « d'une puissance cyclopéenne » frappe tellement le romancier qu'elle apparaît dans *Le Père Goriot*, dans *Splendeurs et misères des courtisanes*, dans *La Dernière Incarnation de Vautrin* (« ce gaillard... ferait fortune à poser pour les hercules de foire »), et dans *Les Petits Bourgeois*.

Le signalement de Vautrin, tel qu'il est donné dans *Le Père Goriot*, est trait pour trait celui de Vidocq. « Si quelqu'un se plaignait par trop, il lui offrait aussitôt ses services. » Vidocq est là, décidément, comme dans un miroir. Balzac insiste sur ce côté moral de son personnage. Voyez *Les Petits Bourgeois* : « Je suis plus honnête homme que vous, car, hors de mes fonctions, je n'ai pas un acte douteux à me reprocher, et, quand le bien s'est présenté à moi, je l'ai fait partout et toujours. »

Dans *La Cousine Bette*, quand paraît, devant Victorin Hulot, « un superbe modèle de ces moines napolitains, dont les robes sont sœurs des guenilles du lazzarone, dont les sandales sont les haillons du cuir, comme le moine est lui-même un haillon humain », un « pauvre ermite venu du désert », portant une robe

brune, etc., on pense à l'un des mille déguise-
ments de Vidocq, à ce travesti grâce auquel il
trompait encore Hetzel, bras droit du ministre
Bastid, aux Affaires étrangères, en 1848.

« Oui, dit Du Portail, je sais pas mal de
choses... » C'est là une expression favorite de
Vidocq. « Oh ! dit-il à Laferrière, je sais pas
mal de choses, c'est mon métier. — Oh ! je
connais les affaires, moi ! J'ai le secret de bien
des hommes ! » dit Vautrin à Rastignac.

Et cette « nature de bronze » — « aux yeux
clairs comme ceux des tigres », dont « la décision égalait le coup d'œil en rapidité, chez
laquelle la pensée et l'action jaillissaient
comme un même éclair », — « cet homme si
profond », dont les « yeux flamboyants parlaient
un langage si clair », « brillaient... comme des
escarboucles », — « ce grand homme inconnu »,
avec son « air d'autorité magistrale », — « cet
homme d'une activité de général en chef » (qui
donne, dans *Le Père Goriot*, « la preuve de la
plus haute puissance humaine »), — « ce terrible fascinateur », Dieu sait jusqu'où il eût pu
atteindre, si la police ne s'était pas acharnée à
le détruire, en 1843. Car, dit Balzac, dans *La
Cousine Bette*, « avec les moyens dont il disposait, cet homme eût été formidable. Il eût été
une sous-fatalité ! »

*

Plusieurs écrivains du XIXᵉ siècle ont été, sinon fascinés comme Balzac, au moins passionnés par la personnalité de Vidocq. Tous ont concouru à l'immortaliser.

Alexandre Dumas le met magistralement en scène dans *Gabriel Lambert*, où Vidocq démasque et arrête un faux monnayeur : admirable et pathétique récit que ne font oublier ni *Les Mohicans de Paris* ni *Salvator*, ces grandes machines où Vidocq se mue en « Jackal », personnage qui annonce Sherlock Holmes...

Eugène Sue doit à Vidocq la meilleure part des *Mystères de Paris*. On le reconnaissait déjà du vivant de Vidocq :

« Le premier auteur de ces tableaux étonnants, le premier auteur des *Mystères de Paris*, on peut dire (du moins en ce qui est vrai, sérieux, local) que c'est Vidocq ! »

Dans ces pages, rien pour immortaliser Vidocq, mais il est de fait que Vidocq a toujours donné plus qu'il n'a reçu. Il en est ainsi avec Victor Hugo.

*

A Victor Hugo, Vidocq a prêté un concours sans prix, dans des circonstances très délicates. Par exemple, c'est Vidocq qui « liquide » le

passé de la maîtresse de Hugo, Juliette Drouet,
avec son ancien amant, le sculpteur Pradier, en
1833. C'est encore Vidocq qui « liquide »
l'affaire Biard, en 1845-1846, cette affaire sca-
breuse, née passage Saint-Roch du flagrant délit
d'adultère de la femme du peintre, Léonie
Biard, avec Victor Hugo...

Le rapprochement de Hugo et de Vidocq, à
propos de Juliette et de Pradier, n'est pas pour
rien dans la naissance de *Claude Gueux*. Leurs
rapports antérieurs avaient été à l'origine du
Dernier jour d'un condamné. Un autre rapprochement, en 1849, nous a valu *Les Misérables*.

Dans la vie de Vidocq comme dans celle de
Jean Valjean (*alias* le père Madeleine), il y a
un évêque bienfaisant. L'évêque de Vidocq
s'appelait Pierre-Joseph Porion.

Jean Valjean est condamné au bagne pour
avoir volé un pain destiné à nourrir ses frères.
On sait pourquoi Vidocq fut condamné au
bagne !

Comme Vidocq, Jean Valjean endure le
« supplice de la vie » après sa sortie du bagne.
« Jean Valjean avait été ébloui de l'idée de
liberté. Il crut à une vie nouvelle. Il vit bien
vite ce que c'était qu'une liberté à laquelle on
donne un passeport jaune. »

Les deux religieuses secourables, de la vie de
Vidocq, c'est la « sœur Simplice » providentielle
à Jean Valjean.

Le philanthrope père Madeleine, fabricant

établi à Montreuil-sur-Mer, c'est (on l'a vu) le
philanthrope Vidocq, devenu fabricant et
manufacturier à Saint-Mandé.

Valjean-Madeleine est, comme Vidocq, d'une
force colossale. L'un des sommets des *Misérables* consiste dans le « sauvetage » du vieux Fau-
chelevent, écrasé sous une charrette...

L'histoire vraie, la source de ce « sommet »
des *Misérables,* la voici :

Un jour de janvier 1828, Vidocq envoie, de
Saint-Mandé à Paris, un de ses employés,
ancien forçat, naturellement, avec une lourde
charrette chargée de papier et de carton. La
route (la vieille route de Lagny) est mauvaise,
la voiture s'enlise, le conducteur glisse et
tombe sous une roue. Il ne peut se dégager.
Personne ne peut le dégager. On court chez
Vidocq, qui arrive précipitamment, se glisse
sous la charrette, la soulève, et sauve son
employé. Puis, les assistants parlant de transporter le blessé (plusieurs côtes cassées) à l'Hô-
tel-Dieu, Vidocq déclare que son employé n'ac-
caparera pas, dans cet hôpital, la place d'un
être sans ressources et sans appui, et il le transporte dans une maison de santé, celle du docteur Dubois, rue de l'Observance, où le malheureux demeure, jusqu'à guérison complète,
aux frais de Vidocq.

Et la scène pathétique du tribunal. Valjean-Madeleine allant se dénoncer pour qu'un
innocent n'aille pas à sa place au bagne !

En voici l'origine.

Au temps de sa jeunesse, après l'une de ses évasions, et tandis qu'il se trouve être en sûreté, Vidocq apprend que le guichetier de la prison d'où il s'est enfui va être traduit devant un tribunal et condamné à mort pour avoir facilité son évasion, soi-disant à prix d'argent... Immédiatement, Vidocq quitte son refuge, se rend à Saint-Omer où le guichetier a été conduit, se présente devant le tribunal, demande à y être entendu, et sauve le guichetier, cependant qu'on le remet, lui Vidocq, aux fers...

Vidocq a largement contribué à la gloire de Balzac et de Hugo. Mais demeurer à jamais fameux, immortel, dans les Annales de l'humanité, sous les espèces de Vidocq, de Vautrin et de Jean Valjean, quelle réussite aussi !

XXVI

UN LION, UN DIPLOMATE

> Il y avait dans sa personne
> une grande attraction, il exer-
> çait un magnétisme puissant
> sur tous ceux qui l'avaient vu
> et entendu, et on aimait à le
> revoir et à l'entendre encore.
> Il n'avait rien de vulgaire.
> Tout en lui et dans son re-
> gard ressemblait au lion...
>
> CHARLES LEDRU

QUELQUES années après la publication du *Père
Goriot,* l'un des premiers phrénologues, Fossati,
est mis en présence d'un inconnu. Il est même
prié de ne pas chercher à savoir le nom du
personnage dont on soumet le crâne à son
examen.

Le savant explore minutieusement, palpe et
déclare :

« Je n'ai jamais rencontré un cerveau
pareil ! »

Fossati insiste pour que les témoins apprécient « ce beau et large front », puis « les admirables proportions de la tête », et il conclut :

« Il y a, dans l'inconnu que vous me présentez, trois personnes distinctes en une : un lion, un diplomate, une sœur de charité... »

Cette scène se situe dans le cabinet de l'avocat Ledru. Et, dans l'« inconnu », on a reconnu Vidocq...

Un tel jugement ne peut surprendre personne, du monde des êtres intelligents, parmi lesquels Vidocq apparaît. La plupart de ses contemporains le ratifient. Ainsi de Benjamin Appert.

Personnage aussi original que bienfaisant, philanthrope sans égal, Benjamin Appert se passionne, lui aussi, pour Vidocq, ses activités, ses idées, son entreprise de réhabilitation des forçats... Il soulage les misères que Vidocq lui recommande, et il intervient en faveur des condamnés qu'il lui indique comme méritant leur grâce ou des atténuations de peine.

Dans ses livres, Appert se plaît à souligner « les rares capacités de cet homme extraordinaire ». A Paris et à Neuilly, le philanthrope mène grand train et reçoit, chaque samedi, les Français et les étrangers les plus marquants du temps. Ecrivains, artistes, diplomates, lords, hommes politiques, généraux, amiraux, médecins, prélats, etc. se retrouvent chez lui régulièrement, avec, pour commensal, Vidocq. La présence et la conversation de Vidocq renforcent le nombre des solliciteurs, car tout Paris sollicite de dîner chez Appert.

Un soir, le nom de Sanson, le bourreau, est prononcé. Un convive exprime le désir de le connaître. Appert saisit la balle au bond : il priera Sanson à sa table. Cependant, l'inviter ne suffit pas : il importe que le bourreau vienne. Or, par caractère autant que par état, il ne va jamais chez personne. Perplexité générale. Mais Vidocq est là :

« Je me charge de l'inviter. Laissez-moi faire : il viendra ! »

Le lendemain matin, Vidocq voit Sanson, qui, dès midi, accourt chez Appert « pour se faire confirmer l'invitation » :

« Voyez-vous, comme cette invitation était faite par le sieur Vidocq dont je connais d'ancienne date les « farces », j'ai voulu m'assurer par moi-même si j'avais un si grand honneur... »

Le jour dit, Appert place Sanson à sa droite et Vidocq à sa gauche. Grave et sérieux, le bourreau paraît être assez gêné « avec ces grands seigneurs », comme il dit tout bas à son hôte. Au contraire, fort gai, plaisantant sans façon, lançant avec esprit des épigrammes, Vidocq dit en riant à Sanson :

« Savez-vous que je vous ai souvent envoyé de la besogne, lorsque j'étais chef de la Sûreté.

— C'est vrai, monsieur Vidocq ! »

Et Sanson ajoute, à l'oreille d'Appert :

« Il faut que ce soit chez vous, monsieur, pour que je dîne avec ce gaillard-là ! C'est que c'est un malin ! »

Presque en même temps, Vidocq dit confidentiellement à Appert :

« C'est un brave homme, ce monsieur Sanson. Cependant, ça me paraît drôle de dîner à la même table que lui ! »

Les convives commencent à questionner Sanson. Le bourreau raconte que son père lui a dit, en lui confiant sa succession :

« Tu vivras tranquille, et, au moins, personne n'aura le droit de se mêler de tes affaires !

— Excepté les gens à qui tu couperas le cou, aurait dû ajouter votre père ! réplique Vidocq.

— Monsieur Vidocq, pas de plaisanterie. Ce que je conte là est historique !

— Malheureusement ! »

On laisse Sanson se perdre dans ses histoires de guillotine, et c'est, « comme toujours », Vidocq qui a les honneurs de la soirée ». Il s'entretient beaucoup, ce soir-là, avec Alexandre Dumas et Balzac.

Aux yeux d'Appert, « Vidocq est certainement l'homme de police le plus capable qu'on puisse trouver ».

« Son caractère est franc et humain, et j'ai de lui un grand nombre de lettres qui, toutes, sont écrites pour des bonnes œuvres, des bienfaits, qu'il sollicitait pour d'honnêtes et indigents ménages. Souvent même, il secourait de sa bourse, en attendant mes réponses.

« Vidocq est amateur de tableaux, et sa galerie n'est pas sans valeur. Il devrait avoir une belle fortune. Mais, pour ses propres intérêts, son intelligence et sa prudence lui font défaut, en sorte qu'il a beaucoup de créances, mais peu d'argent.

« Je sais mille traits du bon cœur de cet homme extraordinaire. En voici un qui m'est parfaitement connu. On lui donne un billet de trois cents francs à escompter (quatre-vingt dix mille francs de notre monnaie). Il voit l'endossement d'une personne estimable, mais qu'une trop grande faiblesse a placée dans la plus fâcheuse position. Il sait que, malgré sa probité, elle ne pourra rembourser, si le signataire ne paie pas : ce qui arrive effectivement à l'échéance. Alors, après le protêt prescrit par la loi, Vidocq écrit à cette personne la lettre la plus polie, on lui exprime le regret de ne pouvoir rembourser, et Vidocq cesse toute poursuite et reste très affectionné et dévoué à celui que tout autre maintenant déchire, accuse, calomnie, parce que la fortune ne lui a pas été fidèle... »

Un mardi gras, Appert veut explorer la Courtille et ses bouges, en compagnie de Vidocq et d'un valet de chambre. Jamais un

spectacle aussi crapuleux ne s'était présenté à
ses yeux. Vidocq le conduit au Sauvage, au
Grand-Vainqueur, chez Desnoyers... Pour pénétrer dans l'une de ces tavernes, les trois hommes doivent acheter un morceau de viande,
une bouteille de vin, et porter eux-mêmes leurs
vivres au « salon ». Quel spectacle ! Des voleurs,
des filles publiques de tout âge, des enfants
jouent aux cartes. Beaucoup, grands et petits,
sont complètement ivres. Ceux qui ne le sont
pas, reconnaissant Vidocq, viennent à lui, le
saluent avec une déférence à eux, et lui disent,
à la stupéfaction d'Appert :

« Il y a longtemps, n'est-ce pas, que nous
nous connaissons. Venez donc boire un coup
avec les amis. Vous savez bien que, malgré que
vous nous avez fait mettre si souvent dedans,
nous vous aimons bien quand nous sommes
dehors ! »

Cela amuse d'autant plus Appert, que des
familles « extrêmement distinguées » recherchent
en même temps l'honneur de s'allier à Vidocq.
Le bruit court-il qu'il a une fille à marier ?
Aussitôt, une foule de prétendants se présentent, et, parmi eux, des fils d'excellentes
familles...

*

Chez Appert, Vidocq rencontre des savants
comme Broussais, Fourier, Considérant, le célè-

bre Pradt, archevêque de Malines, fameux interlocuteur de Napoléon, et une pléiade de militaires et de diplomates.

Dans la compagnie de Ledru — qui l'étudie pendant vingt ans — il en rencontre bien d'autres !

« Il y avait dans sa personne — relate l'avocat — une grande attraction, il exerçait un magnétisme puissant sur tous ceux qui l'avaient vu et entendu, et on aimait à le revoir et à l'entendre encore. Il n'avait rien de vulgaire. Tout en lui et dans son regard ressemblait au lion si bien indiqué par M. Fossati.

« Je sais un curieux exemple de l'entraînement qu'il exerçait sur des personnes de la plus haute distinction. Sir Francis Burdet — le grand parlementaire britannique — ne venait jamais à Paris sans écrire à Vidocq la veille de son arrivée, et, chaque fois, il l'invitait à accepter un dîner, en tête-à-tête avec lui, chez les Frères-Provençaux.

« Il m'est arrivé de l'inviter aussi, en plusieurs circonstances, à dîner, dans la même maison, avec vingt ou vingt-cinq convives, au milieu desquels cette belle pléiade des jeunes gens de l'ambassade anglaise, parmi lesquels brillait d'un si bel éclat ce cher Sheridan, si regrettable, si aimé, et auquel je ne puis penser sans lui donner une larme ! Et à eux se joignaient quelques-uns des hommes qui sont

devenus célèbres en Russie, l'un aujourd'hui
ministre de l'empereur, l'autre, comme lui,
alors attaché à la diplomatie russe à Paris. Puis
quelques attachés à l'ambassade des Etats-Unis,
et, parmi eux, un Livingston. Cet excellent
colonel Belli, beau-frère de l'archevêque de
Canterbury. Et ce brave colonel Gallois, un des
meilleurs amis d'Armand Carrel. La Rocheja-
quelein. Le duc de Sceaux. Et, pour représentant de l'Italie, cet aimable marquis G. Visconti
Ajmi... Enfin une réunion de cœurs droits, élevés et sympathiques, que j'avais convoqués à
ces festins dont il était le héros, annoncé et
promis à cette réunion de cœurs d'élite, qui
palpitaient aux récits de sa vie si aventureuse
et le contemplaient en buvant à la santé du
« vieux lion ».

« Vidocq avait du goût pour tout ce qui
tenait aux illustrations de toute sorte. Il était
fier d'en être recherché. Et pour tous ceux qui
pouvaient le rencontrer, c'était une fête de voir
cet homme, qui, de loin, leur apparaissait sous
des formes effrayantes, porter le front haut,
comme s'il pouvait tenir sa place dans une
société choisie, qui restait silencieuse au récit
de ses exploits contre ces bandes obscures, en
guerre permanente avec la société — armée
terrible, que rien n'arrête, et qu'il avait été
aussi glorieux de vaincre que s'il avait eu
affaire à une armée ennemie sur un champ de
bataille.

« Il disait ses prouesses comme un général eût raconté ses combats. C'est que, dans toutes les situations, il avait gardé l'estime de soi-même. Et ce sentiment, qui était son égide, sa garantie et son talisman, au milieu de tant d'âmes dégradées par le crime, lui faisait souvent exhaler des soupirs... qui avaient de l'écho dans un tel auditoire... »

*

Léon Gozlan, littérateur en vue, admire les mains de Vidocq, des mains « d'un beau moulage, d'une rare expression de souplesse et d'autorité ». En parlant, Vidocq les agite parfois avec une certaine grâce, et les laisse tomber « avec la lourdeur royale d'une patte de tigre ». Gozlan voit Vidocq chez Balzac :

« Singulière influence de cette individualité, je sentis, bien avant que Balzac m'eût présenté à ce convive, nouveau pour moi, qu'il remplissait l'espace où nous nous trouvions de sa puissance translucide... Il n'y avait pas que le poids d'une seule planète souverainement intelligente, dans le milieu où nous respirions. A côté de celle de Balzac, il y en avait assurément une autre, ce soir-là, qui gravitait et attirait. »

Gozlan aussi attachait du prix à se trouver dans la proximité de Vidocq :

« Le héros valait certainement la peine

d'être connu, à cause de tout le bruit amassé autour de son nom, à cause des grosses et ténébreuses affaires de police secrète qu'il avait conduites avec la pénétration du génie et souvent résolues avec une audace chevaleresque... »

Le chroniqueur Barthélemy Maurice, qui l'a vu et entendu, au Palais de justice, et plus tard, pendant une trentaine d'années, estime qu'il y a en lui « l'étoffe d'un grand homme ». A ses yeux aussi, Vidocq est un « homme extraordinaire ». Il assure que Vidocq « parle mieux et surtout plus à propos » que les trois quarts de nos meilleurs avocats. Il a « le raisonnement très sain, l'intelligence très prompte, l'élocution claire et facile ». Mais Barthélemy Maurice estime (à tort) qu'il a raté sa vie, car, soupire-t-il, « à quel rang ne serait-il pas arrivé dans la société, dans l'armée surtout, doué comme il l'était sous le triple rapport de la force, du courage et de l'intelligence » ?

Un autre observateur le caractérisait mieux, au cours de la pénible épreuve du grand procès de 1843 :

« Une intelligence ardente et vaste, une imperturbable présence d'esprit, une complexion d'athlète, servie par une volonté toute-puissante, de l'habileté et du courage — cet homme a reçu de Dieu de merveilleuses facultés.

« Son esprit, comme il l'a dit lui-même, est ainsi fait, qu'il ne lui est plus possible d'oublier ce qu'il a appris. A l'âge où le corps s'affaisse, où la pensée faiblit, à soixante-dix ans, il a conservé la vigueur d'une maturité robuste.

« Il suffit de le voir pour le juger. Il a une face ravagée par les passions, creusée par des rides profondes, tout à la fois calme et tourmentée, énergique et fière — la face d'un lion.

« Son œil fixe, hardi, scrutateur, qui semble à l'affût des idées qui naissent dans l'âme d'autrui, respire une détermination prompte, une résolution inébranlable, une audace sans bornes.

« On le comprend tout de suite : il y a là tous les signes d'une nature prédestinée à l'action, au bruit, au mouvement, capable de tout, douée de cet ascendant qu'exercent sur les faibles des caractères fortement trempés... »

Pour Moreau-Christophe, inspecteur général des prisons, Vidocq est « un homme d'une audace d'esprit extraordinaire, d'une fertilité d'inspiration incroyable, d'une force et d'une adresse de corps prodigieuses...

« D'ordinaire, son verbe était aussi énigmatique que son silence, et sa ruse aussi ambiguë que son aplomb... Il était fin d'esprit et distingué de sentiment. Son cœur était aussi bon que ses manières étaient brusques. On eût pu l'appeler le bourru bienfaisant. »

Avec cela, « généreux jusqu'à la prodigalité, dévoué jusqu'à l'abnégation », et « reconnaissant jusqu'au sacrifice ».

Et, par surcroît, fort enclin à plaisanter, et sans cesse débordant d'humour.

En décembre 1836, il plaide en justice contre un artiste, William, peintre obscur, qui a fait de lui un portrait aussi mauvais que peu ressemblant. Vidocq refuse donc le travail, un dessin... Toutefois, n'étant pas mauvais diable, il offre un dédommagement. Mais le grand artiste le repousse du pied et prétend obtenir de son travail une grasse rémunération... En définitive, le juge décide que Vidocq paiera cinquante francs (quinze mille de notre monnaie) au peintre...

« Sans doute que, pour le prix, le portrait m'appartient ? demande Vidocq.

— Le dessin au crayon, oui, répond le juge.

— J'y tiens, s'écrie encore Vidocq. Car je pourrai inscrire, au bas, qu'il a été reconnu ressemblant par votre jugement du 23 décembre 1836 ! »

Tempête de rires...

XXVII

LE MÉDECIN DES AMES

> Si Jacques Collin (Vidocq)
> était un grand général pour
> les forçats, il faut avouer qu'il
> n'était pas moins un grand
> médecin des âmes.
>
> BALZAC

LEDRU, avant le phrénologue Fossati, avait décelé, dans Vidocq, cette source intarissable de charité, d'extrême bienveillance... Il qualifiait son client et ami de « médecin des âmes ». (Cette particularité n'échappe pas à Balzac, qui fait aussi de Vautrin « un grand médecin des âmes ».) Il fallait bien, pour cela, qu'il fût « lion » et « diplomate ». En vérité, innombrables ont été les bénéficiaires de l'infinie « bénévolence » de Vidocq !

« Ce grand diplomate — affirme Ledru — faisait, à tous les étages, des œuvres ensevelies dans le mystère qui en rehaussait l'importance, et sur lequel on comptait, parce qu'il n'en avait jamais trahi un seul...

« C'est pourquoi tant de personnes venaient lui confier ces secrets intimes, qui ont besoin d'un secours assuré, quand il s'agit de tirer des âmes blessées, ou des familles atteintes dans leur honneur, de ces embarras qu'on ne peut dévoiler ni à ses amis ni à la loi..., mais où l'on sent le besoin d'un homme de résolution et d'un coup d'œil sûr et jamais à court de ressources salutaires, parce qu'il connaît tous les rouages qu'il faut employer pour les calmer et en triompher.

« Combien j'en ai connu, de personnages très haut placés, qui, le sachant discret comme un abîme, sont accourus à lui, quand il n'exerçait plus de fonctions officielles, le faire dépositaire de leurs douleurs, qu'il avait l'art d'apaiser... Connaissant à fond la géographie morale de toutes les âmes, dans les hautes régions comme dans les basses, il savait toujours trouver le moyen de leur rendre de ces services qu'on paierait au prix de la vie... »

Vautrin-Vidocq, « cet homme si profond », dit Balzac encore, « connaissait les femmes comme les magistrats connaissent les criminels : il devinait les plus secrets mouvements de leur cœur ».

Tel jour, il sauve la belle artiste Julie Grisi, du Théâtre-Italien, qu'un adorateur veut enlever. Dans une autre circonstance, il épargne un scandale à deux personnalités de l'entourage royal. Puis il étouffe un autre scandale entre un homme d'Etat et sa femme. Et ce n'est pas tout.

Un de ces hommes dont Paris fourmille, et qui spéculent sur les qualités physiques dont la nature les a doués, pour vivre aux dépens des familles qu'ils déshonorent, rencontre dans une promenade publique la marquise de ***. Il parvient à lui inspirer une grande passion, et cette jeune femme, sans expérience, est fascinée au point d'aller chez le misérable et de lui écrire des lettres compromettantes. Heureusement, ses yeux se dessillent, et elle reconnaît l'abîme où elle s'est précipitée. Mais le suborneur prétexte des besoins d'argent. Il obtient des sommes plus ou moins fortes. Ses exigences augmentent. En dernier lieu, il essuie un refus. Alors il menace de remettre, ou, plutôt, de vendre au mari les lettres que la marquise a eu l'imprudence de lui écrire... Sa lettre tombe dans les mains du marquis, qui se contient pour ne pas déshonorer deux familles. Mais il veut deux choses : retirer sa femme du précipice où elle s'est jetée, et reconquérir les lettres qui témoignent de sa honte. Il prend conseil d'un très grand personnage, et celui-ci l'engage à s'adresser à Vidocq, en l'assurant de sa discrétion. Vidocq lui promet les lettres, et, le lendemain, il les arrache à l'odieux personnage...

Une jeune femme, issue de parents riches et honorables, est mariée à un homme généralement estimé. Peu de temps après cette union, le mari est contraint à voyager pour ses affaires. Il laisse sa femme dans leur château... Près d'elle surgit un homme semblable au précédent, et qui n'a pas beaucoup de peine à atteindre son but, car la jeune femme a dix-huit ans, et ignore tout du monde. Elle se laisse égarer au point d'enlever, sous l'influence et à l'aide de ce misérable, toute l'argenterie et l'argent conservé au château. Ensemble, ils s'enfuient... Mais à peine a-t-elle franchi le seuil de son foyer, qu'elle comprend qu'elle s'est perdue... Hélas ! sous une main de fer, elle est forcée de suivre son ravisseur, malgré sa répugnance et son remords. La malheureuse est enceinte, et elle doit tout craindre de la juste colère de son mari... Avec l'argent et l'argenterie enlevés, elle suit donc son amant à l'étranger, où ce dernier la pousse à une demande en séparation, qui lui assurera, à lui, la possession de quinze mille à vingt mille francs de rentes qu'elle a en propre (quatre millions et demi à six millions de notre monnaie). Ici, elle résiste, essuie de mauvais traitements, et n'y échappe que par la fuite. Elle revient chez son père et sa mère, qui la traitent comme une brebis égarée. Mais son persécuteur la poursuit. Il met tout en jeu pour la reprendre. Il emploie tous

les moyens pour intimider, et elle et ses
parents. Il pousse l'effronterie jusqu'à pénétrer
chez eux, et les menace de donner une large
publicité aux lettres d'amour de la jeune
femme. Il insulte le père, le mari même. Il
veut de l'argent et un scandale. Il exige le
retour chez lui de cette femme, toujours pour
disposer de sa fortune... S'adresser à la police, à
la justice ? La famille ne le peut pas : l'affaire
deviendrait publique. C'est donc à Vidocq
qu'on a recours pour obtenir la restitution des
lettres et mettre un terme aux insultes et aux
provocations du triste individu. Et Vidocq
l'emporte ! Au péril de sa vie, sans doute, mais
il l'emporte ! Il récupère les lettres, et le « joli
monsieur » est à jamais maté.

Dans une autre circonstance, un homme du
grand monde, marié, devient éperdument
amoureux d'une jeune fille appartenant à l'une
des plus nobles familles de France. La position
de fortune de l'homme, ses habitudes dans la
maison le mettent à même de tout tenter, de
tout entreprendre. Il a déjà dans ses intérêts
une femme qui approche la jeune fille et dont
il s'est assuré le dévouement. Il ne lui manque
qu'un homme résolu, entreprenant, pour l'aider
dans l'enlèvement prémédité et préparé de la
jeune fille. Informé, Vidocq prend des dispositions pour que ce soit à lui qu'on s'adresse.
Des lettres sont destinées à la jeune fille.

Vidocq se les fait confier par l'homme égaré. Ensuite, il confie cette intrigue à un magistrat de ses amis, lui remet les lettres, et lui demande d'aviser secrètement la famille... Des mesures sont prises sans éclat, sans scandale, sans même que la jeune fille puisse connaître les dangers auxquels elle a été exposée...

Vidocq a tant accompli de grandes et charitables actions, qu'on ne sait plus quelle énoncer de préférence. Peut-être celle-ci encore, relative à Laferrière, le plus en vogue des jeunes premiers de ce temps ?

Sa célébrité a grisé le comédien. Il a pensé que l'or lui arriverait à flots, et il a porté son train jusqu'à un faste impardonnable. En un rien de temps, ses dettes s'élèvent à quatre-vingt mille francs, pour atteindre ensuite cent vingt mille francs. En conséquence, ses créanciers le poursuivent.

Afin de le sauver, ses amis imaginent des stratagèmes. L'un d'eux, Gallois, fait répandre dans la presse qu'une grande dame russe, la princesse Jadimerowski, vient de mourir à Saint-Pétersbourg, léguant à Laferrière soixante-dix mille roubles. Les créanciers sont tranquillisés... Pas longtemps ! Et Laferrière et Gallois sont pris de stupeur en lisant, dans les journaux, que la princesse Jadimerowski (qu'ils croyaient avoir inventée) existe réellement, et que, bien vivante, elle tient à le faire savoir...

Soudain, Gallois se frappe le front. Il a trouvé ! Il se reproche même de n'avoir pas pensé plus tôt à ce moyen de salut.

Ensuite, il revoit Laferrière et lui annonce qu'il tient vingt mille francs (six de nos millions) à sa disposition. Mais le comédien est jeune, pétri de préjugés, et, quand il apprend que c'est Vidocq qui offre la somme, il hésite... Le lendemain, il vend ses meubles, ses tableaux, etc. à un antiquaire, qui lui en donne quinze mille francs. La somme est immédiatement versée (à valoir) aux créanciers.

Cinq jours après, désespéré dans son logis désert, Laferrière envisage une nouvelle folie : s'endetter encore pour racheter son mobilier !... Il retourne chez l'acquéreur.

« Vous venez à propos. Votre mobilier est exposé à l'Hôtel des Jeuneurs, et, demain, il doit être vendu. Si vous avez vingt-cinq mille francs à me compter, je vous le rends.

— Vingt-cinq mille francs !... Dix mille francs de bénéfice, en cinq jours ! Mais songez-vous à ce que vous dites ?

— Pardon, monsieur, est-ce moi qui viens vous offrir de vous revendre votre mobilier ? »

Comme un homme ivre, Laferrière court chez Gallois. Un instant après, les deux hommes se dirigent vers la galerie Vivienne. Un domestique en livrée bleu de roi les introduit dans le cabinet de Vidocq. Le comédien voit s'avancer, dans une robe de chambre, un homme « solide, équarri comme une solive de chêne, avec une large tête blonde sur des épaules de Gallo-Romain ». Il vient à ses visiteurs « avec une majesté douce », les salue de la main, les invite à s'asseoir, complimente Laferrière sur son talent, et, sans désemparer :

« Ainsi, vous n'avez pas voulu de mes vingt mille francs ?

— Je viens, au contraire, vous en demander vingt-cinq mille.

— Pas possible !

— J'ai vendu mes meubles. J'en ai distribué l'argent à mes créanciers, que j'ai apaisés pour quelque temps, et, maintenant, je voudrais...

— Vous voudriez qu'on vous rendît vos meubles, que vous avez vendus quinze mille francs, et qu'on veut vous revendre, à vous, vingt-cinq mille.

— Comment savez-vous cela ?

— Je sais beaucoup de choses : c'est mon métier. »

Il rit...

L'entretien se poursuit, un peu en marge de ce qui amène Laferrière, et, pour finir, Vidocq se lève.

« Rentrez chez vous, jeune homme, et attendez de mes nouvelles. Vous en aurez avant qu'il soit une heure. »

Quand Laferrière rentre chez lui, son domestique l'accueille avec des cris et des sauts de caniche...

« Quel bonheur, monsieur ! s'écrie-t-il. Les clous étaient encore aux murs. Ça a été pour moi l'affaire de quelques instants. Tout est en place ! »

En effet, Laferrière retrouve son « petit paradis » au grand complet. « Les meubles, les tentures, les tableaux, tout était revenu et tout avait repris sa place. »

En outre, Vidocq a fait mettre l'appartement sous son propre nom. Désormais, Laferrière est à l'abri des poursuites.

*

A ce train, Vidocq marche à sa ruine. Il a englouti beaucoup d'argent dans son œuvre de Saint-Mandé. Longtemps il a cru que le gouvernement l'aiderait. Mais, disait Appert, « le gouvernement, qui ne protège rien de ce qui ne sort pas du cerveau des bureaux, loin de l'aider, regarda cet établissement avec jalousie, et Vidocq, pas plus que moi au château de Remelfing, n'a pu soutenir son utile projet... » A Vidocq, l'administration avait déclaré : « L'Etat n'a pas d'argent. » A quoi il répliqua :

« Belle réponse, vraiment ! L'argent ne manque pas lorsqu'il s'agit de subventionner des journaux, ou des théâtres auxquels le peuple ne va jamais, de payer des danseuses qui ne dansent pas pour lui, ou d'ériger des palais dans lesquels on ne le laisse pas entrer... »

Son incarcération d'une année à la Conciergerie lui a coûté, non seulement le manque à
gagner représenté par le renouvellement de
l'abonnement de ses vingt mille clients (à
vingt francs), mais le remboursement d'un très
grand nombre. (La préfecture a exercé de fortes
pressions sur les banquiers, industriels, commerçants, etc., afin de les contraindre à retirer leur
clientèle à Vidocq.) Plus les appointements de
son nombreux personnel. Les frais généraux.
Des frais de justice. Les honoraires élevés des
« princes du barreau », ses défenseurs. Des
dépenses importantes pour l'impression de
mémoires divers, d'une brochure...

Séparée de biens, sa femme a disposé de sa
fortune. Un de ses neveux, Watissé, a été com-
blé par elle, au point qu'à son insu Vidocq fait
les fonds d'une grande affaire industrielle — en
fait, une escroquerie, dont il est la victime
pour deux cent mille francs (soixante de nos
millions). Voilà ce qui l'attendait à sa sortie de
prison...

« J'ai été victime d'un infâme abus de
confiance », disait-il, l'air sombre et douloureux.

SIXIÈME PARTIE

LE VIEUX LION

> Il suffit de le voir pour le juger.
>
> Il a une face ravagée par les passions, creusée par des rides profondes, tout à la fois calme et tourmentée, énergique et fière — la face d'un lion.
>
> ***

XXVIII

« C'EST UN BIEN GRAND COMÉDIEN...»

> Dieu ne saisit pas mieux sa
> création dans ses moyens et
> dans sa fin que cet homme ne
> saisissait les moindres diffé-
> rences dans la masse des cho-
> ses et des passants.
>
> BALZAC

« AH ! monsieur de Balzac, si j'avais votre bonne plume, j'écrirais des choses à bouleverser de fond en comble le ciel et la terre... »

Vidocq nourrit aussi de grands projets littéraires. Après ses *Mémoires*, il a publié *Les Voleurs*. En 1844 et 1845, il lance deux grands ouvrages, *Les Vrais Mystères de Paris* et *Les Chauffeurs du Nord*, ensemble une douzaine de volumes, et encore un livre précieux de *Réflexions sur les moyens propres à diminuer les crimes et les récidives*.

Les Vrais Mystères de Paris font grand bruit et lui attirent des procès, car il ne s'est pas gêné pour parler franc. Un de ses personnages ne déclare-t-il pas :

« On dit que des ministres vendent leur pays, que des députés vendent leur conscience, que des électeurs vendent leurs votes, que des généraux vendent leurs armées à l'ennemi. Le pape, à ce qu'on assure, vend des indulgences, des dispenses et la croix de l'Eperon d'or. M. l'abbé vendait l'absolution à ses ouailles. On dit que les juges vénaux vendent des acquittements et des condamnations. Que des hommes influents vendent les places, les grades et les privilèges dont ils peuvent disposer. Des avocats, des avoués et des huissiers vendent leurs clients. Les portiers et les domestiques vendent leurs maîtres. J'ai acheté des éloges à cet illustre littérateur. J'achèterais des sonnets à ce jeune poète chevelu, si ses vers valaient quelque chose. Le docteur Delamarre vend aux femmes trompées des conseils qui le conduiront tôt ou tard devant la cour d'assises. Cet Anglais, qui tout à l'heure va tomber sous la table et cet ex-marchand de bonnets de coton vend de la graine de niais aux badauds. Cet honnête gérant de commandite vend à ses actionnaires la poudre qu'il leur jette aux yeux. Des maris vendent leurs femmes. Des mères vendent leurs filles. M. Juste (un usurier)

vend au poids de l'or de l'argent aux jeunes
gens de famille... Dans cette moderne Babylone,
la moitié du monde vend l'autre moitié. »

Beaucoup d'affaires, traitées et résolues par
lui, viennent au grand jour. (Les noms propres
en moins.) Ainsi le cas de cet avocat, chevalier
de la Légion d'honneur, député, qui dupe une
cliente, se fait payer un voyage à Pétersbourg,
et lui extorque encore soixante-quinze mille
francs. Ainsi, ce prêtre escroc et condamné à
un an de prison. Cet avoué, qui fait avorter sa
maîtresse, et qui, lorsque celle-ci recommence,
sous d'autres liens, la fait condamner en cour
d'assises. Cet avocat qui dupe un de ses clients,
le fait avouer et dérobe le butin du crime. Cet
autre avocat, député légitimiste, qui escroque
une jeune actrice du boulevard du Temple, et
qui, confondu, doit prier la Chambre des députés et celle des avocats d'accepter sa démission
pure et simple. Etc.

Quand *Les Chauffeurs du Nord* paraissent en
librairie, Vidocq n'est pas là pour en signer
les exemplaires. Où donc est-il ?
A Londres. Il y rencontre des ministres, des
parlementaires. A Whitehall, il voit Sir James
Graham, qui lui fait visiter Milbank Prison et
Pentonville Prison. Il négocie. Il veut établir
en Angleterre une réplique de son administration. Celle-ci s'intitulera Renseignements uni-

versels et agira tant en Grande-Bretagne qu'en Belgique et en France.

On lui propose de publier plusieurs volumes (six au moins) qui porteront pour titre *Revelations and Recollections of Vidocq* : il devra y réunir des souvenirs s'étendant sur une période de cinquante-sept années (1788-1845).

Il organise une exposition. (Il est d'ailleurs venu à Londres pour cela.) Tel théâtre a souvent joué un drame intitulé *Vidocq*. Le lundi 9 juin 1845, la presse annonce que le Cosmorama, dans Regent Street, devient le théâtre d'une exhibition quotidienne de Vidocq. Une brochure dont il est le héros s'arrache, et son portrait aussi. Le spectacle commence par un discours, que Vidocq prononce en français. (Un interprète le double.) Il résume sa vie, ses aventures, ses malheurs de forçat, ses évasions, change de costume, mime les gestes qu'il a accomplis, les ruses qu'il a employées pour s'emparer des criminels... Ensuite les spectateurs se pressent pour voir de près le « musée » qu'il exhibe : objets personnels, vêtements, armes ayant appartenu à des célébrités du vol et de l'assassinat. Les Anglais ne se lassent pas de contempler ces « trophées ». Le directeur du Cosmorama le prie de revenir, l'année suivante. Il accepte, et rentre à Paris, par Ostende, pays de souvenirs...

Le 18 février 1846, il est à Bruges. Toujours

énergique, et pas un seul cheveu gris. Malgré cela, les journaux parisiens, reproduisant un article de *La Démocratie pacifique*, annoncent que l'ex-chef de la Sûreté vient de mourir à Saint-Nicolas, près de Bruxelles.

« Il était tombé dans un état voisin de la misère, par suite de fausses spéculations et de nombreux procès qui lui avaient été intentés. On assure qu'il a vendu, dans ces derniers temps, à un éditeur de Bruxelles, des papiers, notes et renseignements très curieux sur diverses familles et personnages de France, à condition toutefois de ne les livrer à l'impression qu'après sa mort, car le secret lui avait été payé, il voulait avoir de la probité à sa manière et tenir ses engagements. Du reste, depuis une année, ses facultés intellectuelles s'étaient affaiblies par suite de fréquents excès de liqueurs. »

Mme Vidocq riposte immédiatement pour mettre les choses au point. Vidocq est à Londres, etc.

« Enfin, ceux qui le connaissent savent, et peut-être l'auteur de l'article calomnieux lui-même, aussi bien que personne, sait-il que mon mari a conservé la plénitude de ses facultés intellectuelles, qu'il ne se livre à aucun excès de liqueurs alcooliques, et que la manière dont il entend la probité ne lui permettra jamais d'autoriser la publication, avant ou après sa mort, de secrets qu'on lui aurait confiés. Les familles et personnages que sa discrétion peut intéresser ne doivent conserver à cet égard aucune inquiétude... »

A Londres, Vidocq donne à dîner à la presse, afin de prouver qu'il est bien vivant. Puis il porte plainte et rentre en France pour ce procès, qu'il gagne, faisant fi des dommages-intérêts, mais non point d'affirmer publiquement qu'il reste le même, célèbre et robuste Vidocq. Les chroniqueurs parleront de sa « florissante santé » et des « deux superbes diamants » qui ornent sa chemise.

Avant de quitter Londres, il avait négocié pour l'exploitation de ses brevets d'invention. Au Cosmorama, ses représentations avaient connu le succès de l'année précédente. La « hautaine aristocratie anglaise » se déclarait « charmée », tant de sa « faconde » que des anecdotes qu'il contait « avec esprit ». Dans les salons londoniens, sa tenue et ses manières étaient telles qu'on le considérait comme « la fleur des gentilshommes ».

XXIX

LE LOGICIEN INTRÉPIDE

> Vidocq est resté logicien
> intrépide jusqu'à la mort.
> CHARLES LEDRU

UN peu plus d'une année s'écoule encore, et, tout à coup, la presse se déchaîne, une fois de plus.

Le samedi 2 octobre 1847, les journaux annoncent un suicide. Affaire retentissante ! Suicide « constaté *(sic)* par l'autorité judiciaire ». Gros émoi, car la malheureuse, qui a mis fin à ses jours, est... la femme de Vidocq. Elle a absorbé un flacon de laudanum, etc.

Et la presse de narrer le drame, qui aurait eu pour cadre le célèbre appartement de la galerie Vivienne.

En fait, Mme Vidocq est morte à Saint-Mandé, le 22 septembre, à dix-neuf heures trente, âgée de cinquante-trois ans.

Le clergé refuse de recevoir le corps à l'église. Le cercueil est conduit directement au cimetière. Le commissaire Masson assiste aux funérailles.

Vidocq avait invité tous les pauvres de la commune. A chacun, il fit distribuer un pain de quatre kilogrammes. Le petit peuple, qui aimait Vidocq, suivit le convoi. Les hobereaux du lieu s'épargnèrent cette corvée.

Sa femme enterrée, Vidocq remet une note aux journaux pour que la vérité soit rétablie. Encore qu'il n'ait jamais la moindre illusion sur l'utilité de rétablir la vérité. Il pense, comme Gœthe, qu'il est tout à fait indifférent de dire le vrai ou le faux, parce que l'un et l'autre sont également contredits.

La réalité est, comme toujours, simple, et, ici, naturellement, douloureuse.

Depuis longtemps atteinte d'une tumeur fibreuse, Mme Vidocq gardait le lit, en proie à d' « atroces souffrances ». Le 21 septembre, pour les calmer, elle absorbe vingt gouttes de laudanum dans un verre d'eau. (Les médecins qui la traitent lui prescrivent habituellement des potions calmantes de cette nature.) Immédiatement après cette dernière absorption, Vidocq fait appeler son vieux médecin et ami, Dornier, puis les médecins Recurt et Boisnel. (Tous trois soignent sa femme depuis le début de sa maladie.) Il appelle, en outre, deux autres médecins : Palassis (de Charonne) et Dalmas (de Saint-Mandé). Tous déclarent que la potion, « bien que prise en dehors de leurs prescriptions, ne peut occasionner le moindre accident ni hâter la mort de la malade ». Elle succombe quelques heures plus tard, et presque dans les temps que les médecins avaient prédit, peu de jours auparavant.

« Elle succomba dans mes bras », disait Vidocq, ému.

Il avait envoyé querir le commissaire. Celui-ci rédigea un procès-verbal d'après les déclarations des médecins, et le soumit au procureur du roi, lequel le visa séance tenante. L'autorisation d'inhumer avait été donnée également sur-le-champ, « tant il était constant qu'il n'y avait pas eu suicide ».

*

Sa femme décédée, Vidocq se résigne à abandonner ce qui subsistait de sa propre police. Pourtant, on cite encore de ses prouesses. Mais il ne demande qu'à passer la main. Il sait bien qu'il a fait école. De notre temps, de grandes agences, universellement connues et appréciées, fonctionnent à la satisfaction de tous, de la police même. Vidocq en est l'inventeur.

On cite de lui ce trait, peut-être pas scrupuleusement exact, et où il y a bien quelque arbitraire, mais aussi la marque de son penchant permanent à enrayer les scandales...

Un riche négociant parisien apparaît galerie Vivienne. Il déclare qu'il vient de constater un déficit de cent cinquante mille francs dans sa caisse.

« Quel âge a votre caissier ? demande le « logicien ».

— Vingt-cinq ans. Mais je suis sûr de lui comme de moi-même. Il a été volé. C'est une victime comme moi.

— Vous êtes marié ?

— Oui.

— Quel âge a votre femme ? Est-elle jolie ? Est-elle honnête ?

— Oh ! monsieur, ma femme, c'est la vertu même, le dévouement même, l'amour conjugal incarné...

— Il ne s'agit pas de tout cela. Votre caissier a vingt-cinq ans. Votre femme est-elle jolie ?

— Enfin, puisque vous le voulez, oui, elle est jolie. Mais...

— Mais !... mais !... Il ne s'agit pas de *mais* ! Vous voulez retrouver votre argent, n'est-ce pas ? Et vous avez confiance en moi ?

— Parbleu ! puisque me voici !

— Très bien ! Rentrez chez vous. Simulez un départ pour la campagne, et introduisez-moi dans la place. »

Le négociant fait ce que veut Vidocq. Il part...

A quelques heures de là, la jeune femme se met à table... Un jeune homme entre.

« Eh bien, il est parti ?

— Oui, il est parti, mais il a des soupçons. Nous sommes perdus !

— Un seul parti pour nous : prenons ce qui reste et allons nous embarquer pour... »

Jusque-là dissimulé dans un réduit, Vidocq se montre. Tableau.

« Mes chers enfants, du calme ! ou je vous casse la tête à tous les deux. Nous nous comprenons, n'est-ce pas ? Maintenant, répondez ! Où est l'argent volé ?

— Il ne nous reste que cent mille francs, dit la femme coupable.

— Bien vrai ?

— Je le jure !

— Très bien. Rendez l'argent !

— Le voici.

— Très bien ! C'est une affaire oubliée. N'en parlez jamais à votre mari. Il ne saura rien. Quant à vous, monsieur, donnez-moi votre jolie main... »

Et tout de go, il l'entraîne, le conduit au Havre, l'embarque sur un petit navire en partance, et lui dit : « Allez vous faire pendre ailleurs ! »

De retour à Paris, Vidocq dit au négociant, qui l'attend, galerie Vivienne :

« Votre caissier était le voleur. Mais il avait mangé cinquante mille francs avec une danseuse. Je l'ai embarqué pour les Etats-Unis. »

A quelques années de là, on assurait qu'il ne pouvait exister au monde un ménage plus heureux que celui dont Vidocq avait préservé la destinée.

XXX

LE BARON DE SAINT-JULES

> Un homme dont l'habileté,
> sur un théâtre plus élevé, de-
> vrait s'appeler du génie.
> BALZAC

La révolution de 1848 ruine Vidocq, comme tant d'autres, mais elle lui ouvre un nouveau champ d'activités. En période de crise politique, Vidocq est de bon conseil. Il sait comment on mate une émeute, comment on retourne l'opinion, comment on sauve un pouvoir.

Et, justement, Lamartine, qui le connaît bien et le « prise beaucoup », Lamartine se souvient opportunément de Vidocq. Entouré de rivaux, d'ennemis, d'amis qui ne songent qu'à l'abattre, Lamartine aura sous la main, et dans l'ombre, une « puissance ».

Libéral par nature, révolté parce qu'une hypocrite société l'a toujours harcelé, Vidocq est néanmoins l'homme de l'ordre. Au reste, « sœur de charité », il ne peut se retenir de rendre en bien tout le mal qu'on lui a fait.

Landrin, son défenseur devant la cour, en 1843, est devenu un haut magistrat et un homme politique actif. Egalement, il fonde de grands espoirs sur Vidocq, et à bon escient. En effet, la tourmente emporte les uns, fait fléchir les autres. « Les agents de l'autorité reculaient devant les périls du devoir », écrira Landrin.

Vidocq, lui, ne recule pas. Il tient tête, et sert avec « empressement et dévouement » (Landrin *dixit*), et se multiplie comme jadis.

Le 21 mai, jour de la fête de la Fraternité, il sauve la vie de Lamartine et de tous les membres du pouvoir exécutif.

Il doit néanmoins s'imposer à certains fonctionnaires, aveuglés, à son égard, par des préjugés. Un exemple. Après les journées de Mai, le gouvernement propose à Vidocq de se rendre à Londres. Le ministre des Affaires étrangères constate quelque réticence dans les bureaux. On n'y est pas chaud pour confier une mission politique à Vidocq. Bastid (c'est le ministre) dit à Hetzel (secrétaire général) :

« Un M. Bourgois m'a demandé audience pour demain. Je suis très occupé. Recevez-le. Il a d'importantes propositions à faire. »

Le lendemain, M. Bourgois est introduit chez Hetzel, qui reconnaît tout de suite Vidocq dans son visiteur, et, avant de le laisser s'expliquer,

lui déclare que, s'il l'a reconnu, c'est qu'il a
« perdu quelque chose de son habileté à se gri-
mer et à se travestir ». Vidocq, qui n'avait pas
pensé le moins du monde à se présenter autrement que sous son aspect naturel, ne répond
pas un mot et se retire.

Le jour suivant, le ministre invite Hetzel à
recevoir séance tenante un religieux. Entre
bientôt un père qui déclare arriver de Terre
sainte. Déchaux, couvert de bure, largement
tonsuré, les reins ceints d'une corde, chargé de
rosaires et autres chapelets, ce digne religieux
fait pleurer Hetzel pendant vingt minutes
(Hetzel l'attestera) en lui peignant la douloureuse position des chrétiens en Syrie et l'état de
dégradation des Lieux saints... Quand il juge
que Hetzel a suffisamment pleuré, le religieux
s'abandonne à un éclat de rire « homérique » et
se découvre... Vidocq !... Les Affaires étrangères
s'inclinent, et Vidocq part presque aussitôt
pour Londres.

Il effectue plusieurs voyages et tâte les princes de la maison d'Orléans, Louis-Napoléon
Bonaparte, les milieux politiques et diplomati-
ques. Lui, qui sait adopter la tenue et le langage de toutes les classes de la société, est aisément pris, dans un salon politique de premier
ordre, pour un ambassadeur.

*

L'année 1848 s'achève par la déroute de
Lamartine et des républicains. A ces « vaincus
de Pharsale », succède Louis-Napoléon Bonaparte. Vidocq va-t-il enfin renoncer, se terrer
dans sa retraite ? A soixante-quatorze ans, que
ne se soucie-t-il de vivre sur ses lauriers, avec
ses souvenirs, et le peu d'argent sauvé du naufrage de sa fortune ?

A cet homme d'action, le repos pèse, même
à cet âge. Le temps est une valeur, qu'il n'aime
pas à dissiper, professe-t-il. Il ne sait, ni demeurer en place, ni imposer une halte à son esprit.
Quand il ne sillonne pas les routes, ou n'ar-
pente pas les rues, quand il ne prend pas la
plume pour tracer le plan de grands ouvrages
ou de pièces de théâtre, il invente. Que n'in-
vente-t-il pas ? Des papiers spéciaux, des car-
tons, une encre indélébile, une serrure « infrac-
tionnable »... Par surcroît, de nombreuses personnes s'adressent à lui, comme jadis et
naguère, pour des affaires de vol, d'escroquerie,
intimes, etc. Il ne refuse jamais son concours,
mais il vieillit, ne prend plus exactement ses
mesures, et, un jour de février 1849, la police
vient le querir chez lui, rue Saint-Louis, n° 31,
pour le conduire au dépôt, puis à la Conciergerie.

Assurément, il eût mieux fait de ne pas

accepter de se dévouer dans l'affaire du duc de Valençay, qui plaide en séparation contre sa femme depuis plusieurs années. Il regrette bientôt cet « exploit » (il s'était travesti en curé de campagne), dont il parle comme d'une faute « plus ridicule que punissable ». On le garde quelque temps à la Conciergerie, sans motif, au reste (la prévention n'est pas indiquée à l'écrou), et il y rend encore des services d'ordre politique. Deux mois plus tard, reconnu innocent, il est remis en liberté par ordonnance de non-lieu. (Victor Hugo est intervenu en sa faveur.)

*

Est-il guéri ? Non pas. Il aspire à servir encore, officiellement. Il s'imagine que le gouvernement de Louis-Napoléon Bonaparte lui confiera un poste important. Il voyage, donne les conseils qu'on sollicite de lui pour le lancement d'un grand journal. (Ses idées sont en avance d'un siècle sur son temps.) C'est ici qu'il déclare :

« Les meilleures choses du monde ne produisent que de l'eau sans le charlatanisme : c'est la pierre de touche du succès. »

Le pouvoir, qui n'a plus besoin de lui, l'abandonne. En décembre 1850, malade, il écrit « sous l'impression douloureuse » des sangsues qu'on vient de lui appliquer.

« Que n'ont-elles sucé jusqu'à la dernière goutte de mon sang ! La mort est le sommeil du pauvre ! »

Un ami lui propose d'intervenir auprès du ministre de l'Intérieur. Il remercie.

« Il suffit de vouloir pour pouvoir. Vous voulez ?... Vous pourrez ! »...

Combien d'hommes ne sont-ils pas pensionnés par le Président ?

« Qu'ont-ils fait pour obtenir ces faveurs ?... *Rien !*... Ils ne sont venus offrir leur dévouement intéressé, au prince, que lorsqu'ils ont été assurés qu'il arriverait au pouvoir. Tandis que moi, c'est lorsqu'il était sous les verrous que j'ai proposé de briser ses fers... »

En 1852, il se détermine à écrire au Président. Il lui rappelle ce qu'il lui a fait proposer par son fidèle Thélin, quand il était captif à Ham, et ce qu'il a réalisé depuis en sa faveur. Car il est historique qu'en 1848 Vidocq a obtenu pour son candidat plus de 8 000 voix à Paris, et au moins autant dans la banlieue. Aux heures des repas des ouvriers, on le voyait alors à Saint-Denis, à Neuilly, à Suresnes, à Puteaux... Il n'a rien réclamé. C'est de sa bourse qu'il a payé cette campagne !

« J'étais trop heureux d'avoir servi un homme que j'aime. Je n'avais pas oublié la bienveillance avec laquelle il avait eu la bonté de me recevoir à Londres... plusieurs fois. »

Il tient ce Bonaparte-Beauharnais pour un

homme très bon. Mais ce qu'on lui écrit lui parvient-il ?

Décidément, non, le chef de l'Etat ne daignera pas accorder une pension à Vidocq.

*

Quelques ministres (Maupas, Persigny...) font encore cas de lui, et il accepte des missions politiques importantes, jusqu'en 1854. Ses pseudonymes restent, suivant la circonstance : M. Bourgois et M. le baron de Saint-Jules.

Enfin, âgé de quatre-vingts ans, il récidive, sollicite une pension de l'Etat. Est-ce qu'il n'a pas beaucoup servi l'Etat ? Le nouveau régime ne le pense pas, puisque cette pension lui est refusée. Alors, accablé par cette ingratitude incurable des grands, Vidocq tire un trait, dans son cœur, sur le nom de Bonaparte...

Il se retourne alors vers la ville de Paris. Est-ce qu'il n'a pas rendu des services monumentaux à la capitale ? Même échec. On l'estime suffisamment à l'aise. Cela épargne la reconnaissance due. La ville ne lui viendra en aide que s'il tombe dans l'indigence.

Malheureux ! Que n'avait-il demandé à l'Etat et à la ville de Paris s'ils étaient « indigents », quand il se chargeait — avec une abnégation totale — de les préserver, de les sauver, de les secourir, d'assurer leur sécurité, d'arrêter voleurs et assassins par dizaines de mille, de mettre hors d'état de nuire une légion de « faiseurs » et autres escrocs, d'enlever les barricades, de rétablir dans leurs fonctions les préfets de la Seine et de police ? Que n'avait-il, enfin, demandé à cette bureaucratie superbe, si elle était indigente, quand il se substituait à elle, tapie dans les bureaux des deux préfectures, ou, tremblante de terreur, les ayant déjà abandonnés, à chaque période de crise ou de tourmente révolutionnaire... ?

Il maugrée. « Indigent ! » Ceux-là ne connaissent pas Vidocq !... De la mise en scène, « ils » vont en avoir... Rien n'est omis pour forcer la note. Car l'intelligence, la finesse, la mesure échappent au génie bureaucratique, mais non pas ce qui est bien lourd, bien grossier, bien bouffon. Donc, cet appartement spacieux du boulevard Beaumarchais, au n° 76, que Vidocq occupe de 1850 à 1854, eh bien, il est à un ami. Vidocq est hébergé là par pitié, dans un cabinet de débarras sans fenêtre, sans air, tout noir. Il dort sur une vieille malle. Tout juste s'il reçoit, tel un chien, une pâtée quotidienne. Plus un seul pantalon convenable, des guenilles qui veulent être un veston, et pas un morceau de linge. Vidocq ne sait plus ce que c'est qu'une chemise, le jour comme la nuit !... Tout cela attesté dans un de ces rapports étonnamment stylés dont les astres de l'administration gardent jalousement le monopole. Et signé d'un commissaire de police qui se prétend un

« aigle » en fait d'enquêtes. Un ennemi juré de Vidocq, par-dessus le marché, et qui, ici, déclare qu'il a fait taire sa haine par compassion pour ce vieillard... Grandeur d'âme !

Sur ce, il lui est accordé un « secours » mensuel de cent francs (trente mille francs de notre temps.)

Ah ! comme il rit, le baron de Saint-Jules !... Il se répète : « La Comédie du Monde est la plus extraordinaire qui se puisse voir jouer... » Il les connaît, les « lascars des bureaux » : « Tous solidaires et tous se détestant, tous se complimentant sur leur supériorité respective et tous convaincus de leur propre supériorité, tous s'épiant afin que nul ne dépasse la seule moyenne admise... Enfin, tous, souverains absolus, chacun dans un bureau de quatre mètres sur quatre, et tous s'ignorant... »

Ainsi, nul ne s'est avisé que Vidocq reçoit alors des « honoraires » mensuels du ministère de l'Intérieur : deux cents francs par mois (soixante mille de nos francs). Nul ne sait qu'il s'est constitué, en 1851, une rente viagère d'environ trois cents francs par mois (quatre-vingt dix mille de nos francs). A quoi s'ajoutent : les affaires particulières qu'il traite, les créances qu'il recouvre lentement, différentes valeurs, des libéralités d'anciens admirateurs et obligés... C'est une fin d'existence sans mesure commune avec la large aisance du « châtelain de Saint-Mandé » ou du « pacha débonnaire » de la

Galerie Vivienne, certes, mais il y a là de quoi achever sa vie sans inquiétude... et, la santé aidant, en vert-galant.

Car sa vie privée reste encombrée de maîtresses, quelquefois très jeunes, et qu'il fait passer pour ses nièces. Il a un faible pour les filles de théâtre. Plusieurs, dans ces années-là, continuent de se faire coquettes pour lui. Il plaît. Au reste, on le croit riche, et beaucoup de ces dames et demoiselles espèrent qu'un bel héritage leur échoira...

Il monte, démonte, remonte sa maison. Quand il est en quête de domestiques, il se tient sur ses gardes. Pas de servante-maîtresse ! L'exemple de Balzac et de la Brugnol, à Passy, lui suffit... Un bon ménage ferait son affaire. Mais pas de tabac ! il ne le supporte pas.

« Quoique fort âgé, je ne suis ni podagre, ni dégoûtant, ni « radotier », et je n'ai aucune infirmité. J'ai, comme tout le monde, mes défauts. Je tiens aux petits soins, aux égards. Je suis vif, et un peu exigeant sous le rapport de la propreté, de la tenue des appartements, etc. Hors de tout cela, je suis assez bon diable... »

Au début de 1854, il déménage et s'installe rue Saint-Pierre-Popincourt, n° 2. La mort le saisira là, trois ans plus tard.

ÉPILOGUE

Je l'aimais, je l'estimais...
Je ne l'oublierai jamais, et je
dirai hautement que c'était
un honnête homme !
                    LAMARTINE

LA MORT DU VIEUX LION

> Ce qui émeut les hommes,
> ce n'est pas les choses mais
> leur opinion sur les choses.
> VIDOCQ

Il se montre encore en province, et, comme au temps de sa jeunesse, en compagnie d'une actrice, précisément. Les maux physiques n'ont pas encore raison de lui.

Le 6 août 1854, il est atteint d'un choléra intense. Son ami Dornier, qui habite rue de Rivoli, 57, saute dans un fiacre, accourt rue Saint-Pierre-Popincourt, et ce loyal médecin déclare à son affectionné client que « les plus grands dangers » le menacent... Vidocq ne se laisse pas impressionner. D'ailleurs, presque aussitôt son mal se change en fièvre typhoïde. Dornier en modère l'action pernicieuse. Quelques semaines plus tard, le malade est de nouveau alerte.

On le revoit dans les rues de Paris, et ceux qui le reconnaissent sont frappés par son allure. Il a pour famille un couple qu'il affectionne, les Lefèvre. Il les a établis, et la femme — autre « Annette » — sera vraiment une fille pour lui, à ses derniers moments.

Chez lui, il s'amuse à faire sonner ensemble ses pendules et cartels, à l'imitation de Charles Quint. (Treize pendules, d'après un témoin. Sept, suivant l'inventaire après décès.) Au deuxième étage, au-dessus de l'entresol, son appartement comporte cuisine, chambre de domestique, deux antichambres, un salon, une salle à manger, deux chambres à coucher, un cabinet de travail — le tout encombré de meubles, d'objets d'art, de tableaux. Sa servante a de la besogne, encore que deux blanchisseuses la déchargent.

L'avocat Ledru reste ami fidèle. Diogène cherchait un homme dans Athènes, dit Vidocq...

« Plus heureux que lui, j'en ai rencontré un dans la Nouvelle Babylone, un que j'aime, que j'estime. Cet homme, c'est vous, Charles Ledru. Veuillez ne pas oublier que l'estime de Vidocq est une croix de mérite que très peu de monde possède.»

Ils s'écrivent. Vidocq signe : « le vieux lion »...

« Le vieux lion a besoin de vous... Le vieux lion vous serre la main avec sa patte... »

Et, dans les dernières semaines :

« Blessé au cœur et à la patte, le vieux lion ne peut sortir de sa tanière où il gémit, n'ayant plus la force de rugir... »

Il n'attend plus que la mort.

*

Celle-ci s'annonce.

Le 30 avril 1857, il se couche pour ne plus se relever. Les jambes du grand coureur de routes sont paralysées, sa figure se contracte, sa langue s'embarrasse... Auprès de lui, la femme qui l'aime pleure et s'affaire. Des commissionnaires vont alerter Dornier, Ledru et le vicaire Orssant (de l'église Saint-Denys-du-Saint-Sacrement).

Un cabriolet amène Dornier :

« Ah ! mon ami, mon pauvre ami !... Mais vous êtes mon plus ancien client, et je vous sauverai !... »

Dornier a le don de faire vivre l'espoir jusqu'à la dernière minute. Autour du lit, il se dépense. On l'entend dire :

« Ça va mieux, n'est-ce pas ? »

Ou bien :

« Je vais employer un autre moyen... »

Ou encore il écoute son malade, qui s'entend en médecine, communique ce qu'il pense, indique un remède pour tenter de rallumer la vie qu'il sent s'éteindre en lui.

Le 3 mai, il dit au médecin :

« Je voudrais sentir la terre sous mes pieds. »

On tâche à le dissuader. Il insiste, pense à Antée...

« Ne serait-il pas possible de reprendre des forces, de renaître, si mes pieds foulaient la terre ? »

De bonnes gens montent de la terre dans sa chambre, l'étalent auprès de son lit... Alors, on le soulève. Tout le monde prête ses forces. Enfin, il est debout. Ses jambes puissantes se posent. Ses pieds nus se crispent soudain. Un éclair de vie sillonne son front, le transfigure... Une seconde... Il commande qu'on le lâche... Il tombe, inerte et froid...

On le recouche avec infiniment de mal.

Il achève son temps ici-bas courageusement, pieusement.

« Je suis bien content de vous voir avec ce bon prêtre », dit-il à Ledru.

Ce dernier, le vicaire Orssant, déclarera :

« Les deux morts les plus admirables que j'ai vues dans l'exercice de mon ministère, ce sont celles de Vidocq et du général Despeaux. »

Et l'avocat Ledru :

« La mort d'un tel homme, que j'ai étudié pendant vingt ans, et à son agonie, porte de hautes instructions pour ceux qui croient en Dieu comme pour ceux qui n'ont pas ce bonheur. Et celui-là n'était ni un bigot ni un trembleur ! »

Il traverse onze journées de souffrance, avec une force de volonté inattendue. On observe qu'il retient son souffle pour se permettre de prolonger de quelques minutes sa respiration. Il calcule les mouvements de son pouls, les progrès du mal.

Ledru en est témoin :

« Pendant onze jours, il l'a vue — la mort — et regardée face à face, et s'avancer vers lui, non comme un fantôme devant un enfant, mais comme une réalité devant un homme... Un homme qui calculait, dès le premier moment, tous les mouvements de son pouls, tous les progrès du mal, et gardait la même présence d'esprit que s'il eût été spectateur au lieu d'être le patient... »

On l'entend dire :

« J'aurais pu être un Kléber, un Murat... gagner le bâton de maréchal... J'ai trop aimé les femmes... Sans les femmes et les duels !... »

Il a une pensée pour ceux qu'il a aimés... Il nomme ceux qui restent dans son cœur : Lamartine, et les magistrats Zangiocami, Pécourt et Gabriel de Berny...

Le samedi 9 mai, Ledru rencontre Lamartine sur les boulevards :

« Vidocq se meurt ! lui dit-il tristement.

— Ce pauvre Vidocq !... »

Et le grand poète évoque, « avec une émotion de vérité et de sentiment qui n'appartiennent qu'à lui », le grand homme d'action et le « médecin des âmes » :

« Si vous le revoyez, dites-lui que je l'aimais, que je l'estimais... Et je désire qu'il le sache. Je lui sais gré de son souvenir. J'ai compris, quand j'étais au pouvoir, que c'était un fidèle et honnête serviteur du pays. Je ne l'oublierai jamais, et je dirai hautement que c'était un honnête homme ! »

Quand Ledru le quitte, Lamartine fait quelques pas, s'arrête, change son itinéraire et prend le chemin de la rue Saint-Pierre-Popincourt.

En route, il se heurte à un journaliste, Louis Ulbach.

« Mon cher, dit Lamartine, vous ne devineriez pas où je vais ?... Je vais voir Vidocq qui se meurt... »

Tout en parlant, il se ravise, songe à la politique, au pouvoir, à ses adversaires. Il a toujours été faible.

« Mais, toutes réflexions faites, non, je n'irai pas... Je n'aurais qu'à rencontrer là quelque malin journaliste... Il ne m'attend pas, il ne me demande pas, ce pauvre Vidocq... Il saura bien mourir sans moi. C'est dommage, je l'aimais beaucoup. »

Il ajoute :

« Si mes collègues — en 1848 — eussent voulu me laisser le champ libre, s'ils s'en fussent rapportés à moi, rien qu'avec Vidocq pour auxiliaire je me serais fait fort de dominer la situation. »

Le 11 mai, un lundi, Vidocq rend le dernier souffle.

Le mardi, le convoi quitte la demeure du vieux lion et se dirige vers l'église Saint-Denys-du-Saint-Sacrement. Cent pauvres suivent silencieusement les amis. Fort peu d'amis, bien sûr, puisqu'il n'avait plus de famille !... Au reste, Vidocq avait décidé : « enterrement de cinquième classe, sans autre invitation ». Une dizaine de fidèles : les Lefèvre, Dornier, Ledru, Barthélemy Maurice, la servante dévouée Jeanne-Marie Colinet, quelques autres... Et, tandis que le vicaire officie, un dernier témoignage de l'amour voué à cet homme hors série par tant de femmes : agenouillée près d'un pilier, une jeune femme blonde, vêtue et voilée de deuil, sanglote et fond en larmes.

Lamartine était un poète. La jeune femme était femme. L'amitié, l'amour, la sensibilité, soit ! Mais l'estime ? dira-t-on.

. .

Voici. La scène se situe le dimanche 10 mai.
A la sortie de la Madeleine, Ledru rencontre
Zangiacomi, le grand magistrat, homme sévère,
rigoureux, et qui en sait, d'un autre point de
vue, sur le monde, presque autant que Vidocq,
qu'il observe, dont il a « disséqué » tous les actes
pendant plus de vingt ans. On n'attendrit pas
un homme comme Zangiacomi.

« Vidocq se meurt !... » lui dit Ledru, comme
il l'a dit, la veille, à Lamartine.

Et l'avocat de relater brièvement cette agonie admirable.

Or, à son tour, et à la surprise de Ledru,
« en termes non moins affectueux » que Lamartine, le sévère magistrat évoque la belle, la
« noble » figure de Vidocq, et conclut :

« C'était un honnête homme ! »

8 mars 1957.

SOURCES DE CET OUVRAGE

I. — INÉDITS.

Archives du Pas-de-Calais (Arras).
Archives du port de Brest.
Minutier central des notaires (Archives nationales).
Archives départementales de la Seine.
Archives de l'Enregistrement (Paris).
Archives de la Banque de France.
Archives de la Guerre.
Archives de la Marine.
Archives de l'Institut.
Archives du Nord (Lille).
Archives (minutes et registres) des notaires.
Archives nationales.
Archives de la police (Préfecture, Paris).
Archives du Rhône (Lyon).
Archives du port de Toulon.
Archives de Seine-et-Oise (Versailles).
Manuscrits de la bibliothèque d'Amiens.
Manuscrits de la bibliothèque de Besançon.
Manuscrits de la bibliothèque historique de la Ville de Paris.
Manuscrits de la bibliothèque de Lille.
Manuscrits de la bibliothèque de Rouen.
Manuscrits de la bibliothèque de Versailles.
Papiers personnels de l'auteur.

II. — Imprimés.

BENJAMIN APPERT : *Dix Ans à la cour du roi Louis-Philippe, et Souvenirs du temps de l'Empire et de la Restauration*. 3 vol. Berlin et Paris, 1846.

A. CHENU : *Les Conspirateurs*.

A. CHENU : *Les Malfaiteurs*. Extraits de Mémoires inédits. Paris, Dentu, 1867.

CHARLES LEDRU : *La vie, la mort et les derniers moments de Vidocq après sa confession à l'heure suprême*. Paris, Dentu, 1857.

W. DUCKETT : *Dictionnaire de la conversation*, tome XVI.
Biographie universelle et portative des Contemporains ou Dictionnaire historique, etc., publié sous la direction de MM. RABBE, VIEILH DE BOISJOLIN et SAINTE-PREUVE, tome V, supplément. Paris, 1834 et s.

EMILE DEBRAUX : *Chansons nouvelles*, supplément B.

EUGÈNE ROCH : *L'Observateur des Tribunaux*. 1843.

Épître à M. Vidocq de Saint-Jules sur sa disgrâce, par un mouchard... (en vers), in-8°, 24 p., Paris, 1827.

GUYON : *Biographie des commissaires de police et des officiers de paix de la Ville de Paris, suivie d'un essai sur l'art de conspirer, et d'une notice sur la police centrale, la police militaire, la police du château des Tuileries, la police de la place, la police des alliés, les inspecteurs de police, la gendarmerie, les prostituées de la capitale, Vidocq et sa bande*. Paris, 1826.

GEORGES MONTORGUEIL : *Le Vrai Vidocq* (*L'Éclair*, 8 juin 1910).

YVES GUYOT : *La Police*. Paris, 1884.

Haute cour de justice séant à Bourges. Affaire de l'attentat du 15 mai 1848. Volume II. Paris, 1849.
Histoire complète de Vidocq et des principaux scélérats qu'il a livré (sic) *à la justice*. Paris, Renaud, 1842. 2 vol. — On lit, à

la page de titre : *Histoire complète de Vidocq d'après les propres documents et mémoires de cet homme extraordinaire.*

Histoire de Vidocq, chef de la police de sûreté, écrite d'après lui-même, par M. FROMENT, ex-chef de brigade du cabinet particulier du préfet. 2 vol. Paris, Lerosey, 1829.

Histoire de Vidocq, chef de la brigade de sûreté, etc., depuis 1812 jusqu'en 1827, par G... Paris, 1830.

Histoire véridique de Vidocq, par L. M. N. 2 vol. Paris, Bernardin-Béchet, 1873. (Nombreuses autres éditions.)

A. R...., *Vie et Aventures de Vidocq, ancien chef de la police de sûreté,* etc., Paris, 1830.

JACQUES PEUCHET : *Mémoires tirés des archives de la Police de Paris, pour servir à l'histoire de la morale et de la police, depuis Louis XIV jusqu'à nos jours.* 6 vol. Paris, Levavasseur, 1838.

LÉON GOZLAN : *Balzac chez lui.*

L.-M. MOREAU-CHRISTOPHE : *Le Monde des Coquins.* Paris, Dentu, 1863.

Le Livre Noir de messieurs Delavau et Franchet, ou Répertoire alphabétique de la police politique sous le ministère déplorable, ouvrage imprimé d'après les registres de l'administration, précédé d'une introduction par M. ANNÉE. 4 vol. Paris, Moutardier, 1829.

Mémoires de Canler, ancien chef du service de sûreté, Paris, Hetzel, s. d.

Mémoires de M. Gisquet, ancien préfet de police, écrits par lui-même. 4 vol. Paris, 1840.

Mémoires de Laferrière, deuxième série, Paris, Dentu, 1876.

Mémoires de M. Claude, chef de la police de sûreté sous le Second Empire.

MAXIME DU CAMP, Paris, etc. Paris, 1872.

PAUL BRU : *Histoire de Bicêtre.* Paris, 1890.

La Police dévoilée depuis la Restauration, et notamment sous MM. Franchet et Delavau, et sous Vidocq, chef de la police

de sûreté (...) par M. Fro-
ment, etc., 2ᵉ édit., 3 vol.
Paris, 1830.
Mémoires du chancelier
Pasquier.

Germain Sarrut et B. Saint-
Edme : Biographie des
hommes du jour, tome V.

Barthélemy Maurice :
Vidocq, Vie et Aventures.
Paris, Laisné, 1858 et 1861.

Lhéritier (de l'Ain) : Supplément aux Mémoires de
Vidocq.

Vidocq : Mémoires. Paris,
Tenon, 1828-1829.

Vidocq : Les Voleurs. Paris,
1836.
Vidocq à ses juges. Paris,
1843.

Vidocq : Les Vrais Mystères
de Paris. Paris, Cadot,
1844.

Vidocq : Les Chauffeurs du
Nord. Paris, 1845.

Vidocq : Quelques mots sur
une question à l'ordre du
jour. Réflexions sur les
moyens propres à dimi-
nuer les crimes et les récidives. Paris, 1844.

Jean Savant : La Vie fabu-
leuse et authentique de
Vidocq. Paris, Éd. du Seuil,
1950.

Jean Savant : Les Vrais
Mémoires de Vidocq. Pa-
ris. Corrêa, 1950.

Jean Savant : Les Vrais
Mystères de Paris (par
Vidocq), édition nou-
velle, annotée et com-
mentée. Paris, Club fran-
çais du Livre, 1950.

Jean Savant : Vidocq, une
énigme, un caractère.
Paris, Liens, nᵒ 37, 1ᵉʳ
juin 1950.

Jean Savant : Les Voleurs
(par Vidocq), version
nouvelle, dans Carrefour.
Paris 1950.

Jean Savant : Les Chauf-
feurs du Nord (par Vi-
docq) version nouvelle,
dans Le Parisien Libéré,
Paris, 1951.

Jean Savant (sur Vidocq) :
Le Vol du Cabinet des
Médailles, dans Les Œu-

vres libres, n° 81, février 1953.

Jean Savant : *idem*, dans *Historia*, n° 79, juin 1953.

Jean Savant (sur Vidocq) : *L'Affaire du changeur du Palais-Royal*, dans *Historia*, n° 88, mars 1954.

Jean Savant : *Le Roi des Policiers*, dans *Constellation*, n° 72, avril 1954.

Jean Savant : *Le Procès de Vidocq*. Paris, Club du Meilleur Livre, 1956.

Jean Savant : *Vidocq, le forçat devenu chef de la Sûreté* dans *Historia*, n° 126, mai 1957.

Jean Savant : *Vidocq*, dans *Les Œuvres Libres*, n° 137, 1957.

Jean Savant : *Tel fut Ouvrard*. Paris, Fasquelle, 1954.

Jean Savant : *Tel fut le Roi de Rome*. Paris, Fasquelle.

III. — Revues et journaux

Le Droit. — Le Figaro. — L'Intermédiaire des Chercheurs et Curieux. — L'Audience. — La Presse. — Le Journal de Paris. — Les Débats. — Le Moniteur officiel. — Le Bulletin des Tribunaux. — La Gazette des Tribunaux. — Le Soir (de Bruxelles). — *Le Nord* (de Bruxelles). — *The Times. — The Sun. — Le Siècle. — Le Constitutionnel. — La Quotidienne. — L'Estafette. — Le National. — Le Charivari. — La Démocratie pacifique. — La Tribune. — La Caricature. — La Silhouette. — L'Ours. — Le Voleur. —* Etc.

N. B. — On se reportera utilement aux ouvrages de Balzac (presque totalité de la *Comédie humaine, Vautrin, Mercadet* ou *Le Faiseur*, etc.), de Hugo (*Les Misérables, Claude Gueux, Le Dernier Jour d'un Condamné*), d'Eugène Sue (*Les Mystères de Paris*), de Frédéric Soulié (*La Closerie des Genêts*), d'Alexandre Dumas (*Gabriel Lambert, Les Mohicans de Paris, Salvator*), etc.

TABLE

IMPRIMERIE & TANIEL

EN FRANCE

Imprimé en France sur Presse Offset par

BRODARD & TAUPIN

GROUPE CPI

La Flèche (Sarthe).
N° d'imprimeur : 9230 – Dépôt légal Édit.15719-09/2001
LIBRAIRIE GÉNÉRALE FRANÇAISE - 43, quai de Grenelle - 75015 Paris.
ISBN : 2 - 253 - 03308 - 1